D1288780

photos
Denis Vicherat

Bali,
jardin des immortels

texte
Jacques Fassola

Chêne

Imprimé en Suisse
ISBN : 2 85108 345 7

Sommaire

A Mathias, Hugo et Aurore

A Laurette Gilson et Norman

L'île de Bali, aux dimensions discrètes, peu accessible par voie de mer, n'obtint qu'un succès d'estime auprès des anciennes compagnies commerciales d'Occident.

Depuis le XVIe siècle, les voyageurs s'accordent pour donner de la « petite Bali » une image féerique, où les princes se pavanent au milieu d'une population douce, dans un cadre de rêve. Il est vrai que son climat tropical, la fertilité de ses vallées volcaniques, donnent à la partie centrale et méridionale de l'île l'aspect d'un paradis écologique, dernier bastion de la nature malaise avant la zone d'influence australe.

La civilisation balinaise, à mi-chemin de celles de l'Inde, de la Polynésie et de la Chine, ne ressemble à aucune autre. Elle fut confrontée brutalement au monde extérieur dans les années 50, avec l'occupation japonaise et la constitution de la République d'Indonésie.

A cette époque, les amateurs d'art et d'anthropologie avaient déjà pu entrevoir Bali grâce aux études publiées en langues anglaise et néerlandaise, mais le grand public ne connaissait guère que les seins nus des Balinaises, saisis, entre autres, par Henri Cartier-Bresson dans ses photographies, avant qu'ils ne disparaissent sous la pression pudique des fonctionnaires musulmans de la jeune République.

En 1972, je me consacrais à la recherche artistique, plus spécialement dans le domaine musical.

Fasciné par les *gamelan**, orchestres à percussion enregistrés par Louis Berthe, je l'étais plus encore par le texte énigmatique d'Antonin Artaud sur le théâtre balinais : « Notre théâtre pourrait, eu égard à ce qui ne se mesure pas et qui tient au pouvoir de suggestion de l'esprit, demander au théâtre balinais une leçon de spiritualité. »

Au mois de juin de cette même année, je me rendis à Bali afin de m'initier à sa musique et d'acquérir les instruments nécessaires à mes recherches. Le soir de mon arrivée, je fus invité à participer à la fête donnée à l'occasion de l'anniversaire d'un temple de montagne adossé à une falaise de verdure, entouré de bains et de sources vives. Les villageois accueillaient les meilleurs acteurs d'opéra-ballet de l'île et je fus transporté au paradis des spectateurs, sans me douter que je serais affublé moi-même, quatre ans plus tard, du titre de *juru tabuh,* musicien, dans une troupe balinaise.

Au cours des trois mois qui suivirent, je me mis à

---

avant-propos

ruminer Bali, selon une progression initiatique qui ne s'est pas interrompue. *« Yang paling penting, rasanya »* (le plus important, c'est la saveur).

Depuis lors, j'y retournai chaque année, me passant de guide dès que je pus parler le *bahasa indonésia,* langue nationale, d'origine malaise, et comprendre suffisamment les langues traditionnelles. J'approchai l'espace balinais à travers ses artistes. La majorité d'entre eux pratiquent plusieurs disciplines, mais rares sont les maîtres. Les plus grands de ce siècle ont vécu ou vivent dans l'anonymat, comme de simples officiants du culte esthétique.

Je m'initiai à la sculpture sur les traces de Déwa Putu Klebès de Batuan, aux côtés de Cokorda Oka de Singapadu et d'Anak Agung Aji Raka de Tampaksiring. Je devins le compagnon de route d'I Nyoman Pugra, le plus inspiré des hommes de théâtre dont on se souvienne de mémoire de Balinais, qui mourut sur scène en décembre 1976. Je résidai six mois au palais de Batuan, en compagnie du vieil Anak Agung Raka qui fut, en 1931, à Paris, la vedette de la représentation qui bouleversa un spectateur nommé Antonin Artaud.

Le maître de musique Déwa Nyoman Dadug, dont le style est jugé trop savant par la nouvelle génération, trouva en moi un élève. Bali n'est pas seulement une école d'art : j'appris à faire la cuisine, à travailler dans les rizières, à aider à la préparation des offrandes, à vivre la vie de tous les jours.

En 1974, Jack Lang invita une troupe d'artistes indonésiens à Paris, au théâtre de la Gaîté-Lyrique. Certains voulurent rester en France; c'est ainsi que se forma le groupe « Patra » dont je fis partie, en tant que musicien, pendant quatre ans.

Je rencontrai Denis Vicherat au cours d'une séance publique où chacun de nous projetait un audio-visuel sur Bali. Si mes commentaires pouvaient paraître érudits, mes images n'étaient pas à la hauteur de ce que j'aurais aimé montrer. Denis avait déjà réalisé deux reportages sur Bali, à l'occasion de trop courtes escales. Cependant, les images qu'il en avait rapportées, outre leur qualité technique et esthétique, révélaient des aspects que je connaissais, mais que je n'avais jamais pu capter. Elles me semblent aujourd'hui encore, notamment par l'utilisation soutenue de la couleur, en prise directe avec l'idéal esthétique des Balinais. Sous leur latitude, à l'exemple du monde qui les entoure, ils produisent une beauté bariolée et triomphante, utile à la vie, à l'opposé du bon goût romantique qui chérit la patine, la grisaille et la ruine. La face visible des choses n'a pas seule le privilège de la couleur, substance d'un véritable langage où se conjuguent les divinités, les orientations dans l'espace et dans le temps, les lettres et les nombres, les états du corps et les phases de l'âme. Tenter de retranscrire ce code fut une préoccupation constante pour l'auteur de ces photographies. Il n'est pas surprenant d'apprendre que Denis photographiait presque exclusivement en noir et blanc avant de voir Bali où il sentit la nécessité de la couleur — à l'exception de rares sujets où la couleur ne faisait que gêner la lisibilité.

Les photographies de ce livre n'occultent pas non plus certains aspects peu conformes à l'image d'« île des dieux », tels que la mort, la vieillesse, la violence, la sueur et la boue. Seul le Bali des villes et des hôtels a été volontairement écarté.

Au cours des trois voyages que nous fîmes ensemble, nous avons suivi le rythme des jours, le calendrier des fêtes publiques ou privées, vivant dans l'intimité de nos amis et de leur famille. Denis se montrait léger et souple, *lues,* comme disent les Balinais pour désigner cette qualité. Discret mais non dissimulé, l'objectif apparaissait comme un miroir, après un échange rapide de regards et de sourires. Nous avions chacun notre spécialité, l'un le regard et l'autre la parole; cela convenait à nos partenaires qui n'ont jamais cru à l'amateurisme ni aux idées générales, et répondent à la question : « Vous jouez de la musique ? » par : « Non, je joue de la flûte. »

Nous avons tenté de saisir quelques témoignages actuels de cet art de vivre, et de dégager la dynamique interne des traditions qui le perpétuent.

Le culte des ancêtres, lié aux lois de l'endogamie, aboutit à une société fortement hiérarchisée et différenciée; elle se répartit en petites unités rurales. Plus de dix siècles de cultures en rizières irriguées développèrent, parallèlement aux collectivités familiales, de nombreux systèmes communautaires à l'échelle des villages et des régions. L'implantation de l'hindouisme, l'amalgame avec les rites, l'art et la politique des cours javanaises furent une telle réussite que Bali conserve depuis le XVe siècle une religion originale, alors que l'ensemble de la population indonésienne s'est convertie à l'Islam.

Plus que tout autre, le Balinais ritualise ses rapports au cosmos et rend aux divinités et aux démons ce que l'homme leur doit, par des offrandes, des cérémonies et des spectacles incessants.

Tout en restant attentif aux rapports de pouvoir en jeu dans la société balinaise actuelle, notre regard s'est détourné de la modernité en tant que telle : elle a partout le même visage. Nous n'irons pas jusqu'à verser une larme à l'écoute du chant du cygne d'un Bali décadent, qui aurait commencé il y a un demi-siècle, et pourquoi pas bien avant. Sans partager non plus le conservatisme de ceux qui voudraient transformer l'île de Bali en musée, sans doute pour mieux la faire visiter, nous sommes conscients que notre expérience, comme celle des Balinais qui l'ont rendue possible, ne pourrait se reproduire à l'heure qu'il est dans tous ses aspects; ses conditions se sont déjà transformées.

Au cours de son histoire, la société balinaise s'est préservée des influences extérieures : dogmes religieux, méthodes commerciales et idéaux politiques, en s'appropriant parfois certains de leurs éléments. Elle peut adopter des divinités, des machines, des habitudes nouvelles sans perdre son intégrité, à condition de les utiliser dans son style, comme de simples instruments qui ne remettent pas en question une seule maille de l'*adat,* trame des lois sacrées qui maintient son espace et son temps.

Le génie balinais est aujourd'hui confronté à deux processus qui atteignent ses structures profondes : l'industrie du tourisme et les plans de la République militaire d'Indonésie. Les évolutions qui en découlent s'accélèrent sans relâche depuis ces quinze dernières années.

Bali, qui compte environ 2 400 000 habitants, sur un territoire pas plus grand que la Corse, accueillera bientôt, en une année, un nombre de visiteurs égal au quart de sa population, proportion effrayante, même si chacun ne séjourne en moyenne que cinq jours sur l'île. L'infrastructure hôtelière se cantonne encore dans la pointe méridionale, mais de multiples boutiques, restaurants et centres d'animation ont poussé le long des routes que suivent les « tours » et s'agglutinent auprès de chaque monument important. La bourgeoisie balinaise étant balbutiante, c'est en grande part grâce à des capitaux javanais ou étrangers que cette industrie a pu atteindre ce stade de développement.

Une partie considérable des vacanciers choisit Bali plutôt qu'une autre île tropicale en raison de la beauté ou de l'étrangeté de son folklore et de sa religion.

Les colons-artistes des années 30 ont été à l'origine d'innovations, notamment dans le domaine de la peinture, qui font aujourd'hui partie intégrante de la culture balinaise. Le tourisme de masse actuel ne peut être générateur de création : les spectacles doivent être brefs, expurgés de tout ce qui paraîtrait obscur pour un Occidental pressé; les objets d'art sont jugés en fonction du matériau de fabrication et de la plus ou moins grande facilité à tenir dans une valise. Cependant, rares sont les artistes qui oseraient bâcler un travail, car l'esthétique est plus qu'une politesse, c'est la condition même de la communication des hommes entre eux et avec l'univers.

Les cérémonies permettent aux agences de tourisme de contenter leur clientèle à peu de frais. Aucun Balinais ne serait gêné par la présence d'étrangers si leur nombre et leur attitude restaient raisonnables, mais c'est rarement le cas. Les services officiels font leur possible pour freiner avec diplomatie l'intrusion en masse dans les fêtes sacrées, mais il leur est impossible de prendre des mesures radicales.

Les fameuses crémations n'ont pas lieu à n'importe quelle période de l'année, mais les touristes exigent toujours d'y assister. Nous avons entendu dire que certaines agences en organisaient de factices !

Certes, le tourisme a créé des emplois, et l'on compte aujourd'hui environ quinze mille salariés dans les hôtels, agences et restaurants, vingt mille artistes à clientèle étrangère, et un nombre encore plus important de personnes qui vivent en partie d'activités liées au séjour des vacanciers.

Urbanisés avant les autres et plus proches des centres hôteliers, ce sont surtout les habitants de la province méridionale de Badung qui en profitent, ce qui ne les dispense pas d'être victimes, comme tout Balinais, des bas salaires, de la spéculation foncière et des fuites de devises. Par ailleurs, il devient difficile de profiter des devises à la manière « sauvage », ou à partir d'une entreprise familiale, car les hôtels et les agences veillent à protéger leur marché.

L'industrie du tourisme ne semble pas dangereuse pour le mode de vie des Balinais : ils n'ont pas à en changer pour séduire leurs visiteurs.

Cependant, la frange la plus jeune de la main-d'œuvre agricole traditionnelle commence à se démobiliser pour aller travailler à l'extérieur des villages, les associations rurales coutumières n'ayant pas les moyens d'exploiter les ressources du tourisme. Bali produit à peine le riz nécessaire à sa propre consommation; les prix des denrées alimentaires riches : bœuf, porc, volaille, œufs montent sur tous les marchés, les restaurants pour étrangers étant demandeurs. Les taxes, surtout indirectes, suivent le même chemin, en contrepartie de l'entretien subventionné des routes principales.

Aussi étendue qu'elle soit, l'influence du tourisme n'a pas l'impact idéologique et politique des plans d'intégration gouvernementaux. A l'école, les enfants apprennent le *bahasa indonésia* plutôt que les langues balinaises. Les modèles de pensée et de comportement, dans les livres de classe et les media, proposent une morale sociale hygiénique, teintée de balinisme, qui vise à engager la jeunesse dans le monde du travail à la manière javano-occidentale.

Le particularisme balinais étant avant tout religieux, l'éducation officielle insiste sur Sang Hyang Widhi, principe divin unique, afin de réduire le polythéisme de Bali à une forme moins subversive, plus conforme au monothéisme que la République tient pour un de ses *Panca Sila,* Cinq grands Principes.

Si le commerce et l'industrie n'ont toujours pas trouvé de terrain propice à Bali, il n'en est pas de même pour les services publics, qui occupent le secteur de 15 pour 100 laissé libre par le domaine agricole. L'État est employeur d'au moins un Balinais sur dix : la réduction du temps consacré aux cérémonies serait autant de gagné pour la rentabilité du travail.

A travers des mesures détournées, l'administration centrale essaie de déstabiliser les cellules rurales définies par l'*adat*, loi coutumière et sacrée. Jusqu'à présent, l'organisation ancestrale, basée sur ses rizières, ses temples et ses assemblées locales, semble résister à la pression subtile de la République. Mais les différents aménagements qui commencent à s'imposer, telle l'électrification, font augmenter les impôts indirects et favorisent l'endettement des paysans dont les enfants ressentent de nouveaux besoins. Il arrive déjà que la télévision remplace le théâtre d'ombres ou la séance de concertation des membres d'un quartier.

L'équilibre économique devenant précaire et le domaine cultivable insuffisant par rapport à la forte densité de la population, le gouvernement reprend ce qui avait été tenté autrefois par les Hollandais : la transmigration. Il semble qu'elle provoque moins de drames à Bali qu'à Java, bien que le déracinement pose pour les Balinais des problèmes rituels inextricables. Les demandes de migration excèdent parfois même les possibilités d'accueil, surtout à la suite de catastrophes telles que l'éruption du Gunung Agung en 1963 ou le séisme qui détruisit la ville de Seririt en 1976.

Chacun peut juger à sa manière des effets positifs ou négatifs de ces nouvelles données, et prédire l'avenir, mais il reste vrai qu'une situation de type colonial s'installe pour la première fois à Bali. La « balinité » à laquelle nous voulons rendre hommage ici, c'est celle qui a su garder durant des siècles un équilibre entre les sages et les fous, dans une société stable mais dynamique, homogène mais différenciée, et qui dépense religieusement son trop-plein de richesses, afin que personne ne puisse jamais cumuler les pouvoirs et dicter sa loi.

La totalité des informations sur Bali représenterait une masse énorme, disproportionnée avec le territoire occupé par ses habitants : un triangle d'une cinquantaine de kilomètres de côté, si l'on exclut la forêt de l'ouest et les contreforts volcaniques abrupts du nord. Nous avons dû faire des choix pour ne retenir que les aspects culturels et sociaux qui nous ont semblé essentiels.

La première règle du jeu, à Bali : ne jamais généraliser, ne rien tenir pour définitif. Il existe cependant des modèles qui valent pour la plupart, sinon pour la totalité des Balinais.

Nous avons refusé le découpage qui aurait séparé, par exemple, la religion, le travail, les spectacles. Il nous est apparu plus pertinent de suivre les divisions fonctionnelles que la société balinaise a elle-même opérées, selon trois niveaux qui la traversent de part en part : productivité, souveraineté et sainteté. Ces niveaux n'ont rien d'abstrait; ils font corps avec la structure hiérarchique qui caractérise encore Bali et déterminent les comportements les plus pragmatiques. Les pratiques magiques viennent en supplément à ce découpage. A Bali, elles ne diffèrent pas fondamentalement de la religion, si ce n'est par leur degré spécifique d'intervention rituelle et leur statut plus ou moins marginal vis-à-vis des cultes institués.

Le dernier chapitre met en scène une cérémonie sacrificielle qui a rassemblé tous les hindouistes de Bali et d'Indonésie dans le temple de Besakih, sur les flancs du volcan Gunung Agung. Nous avons eu la chance d'y assister au mois de mai 1979; la prochaine aura lieu dans un siècle.

Si la fête est partout, c'est que Bali a pris à la fois les dieux et les hommes pour exemples, qui produisent et détruisent, confondant fête et travail en une même jouissance et un unique mot : *karya*.

Nous avons illustré nos propos par des transcriptions d'enregistrements originaux de théâtre, mais aussi de scènes et de conversations quotidiennes, dont les protagonistes ne sont appelés que par leur prénom. Ce n'est pas par souci de discrétion, mais par manque de place que nous ne pouvons citer ici tous ceux qui nous ont secondés dans notre plaisir d'apprendre à les connaître, et que nous remercions.

Nous ne nous résoudrons pas cependant à laisser dans l'anonymat les plus chers de nos collaborateurs : Anak Agung Aji Raka de Tampaksiring, Ida Bagus Putu Buddha de Celuk, Ni Wayan Murdi de Sumerta, Anak Agung Gedé Kalèran de Peliatan, Déwa Nyoman Dadug et Ni Madé Cenik de Batuan, sans oublier I Gedé Tapa Sudana de Paris.

* *Dans les mots balinais que nous retranscrivons, les* u *se prononcent ou; les* c, *tche; les* j, *dje; les* s, *sse; les* an, *ane; les* am, *ame; les* a *de terminaison sont proches de notre œu. Nous ne saurions décrire la nasalisation des* ng, *comme bien d'autres particularités d'accent.*

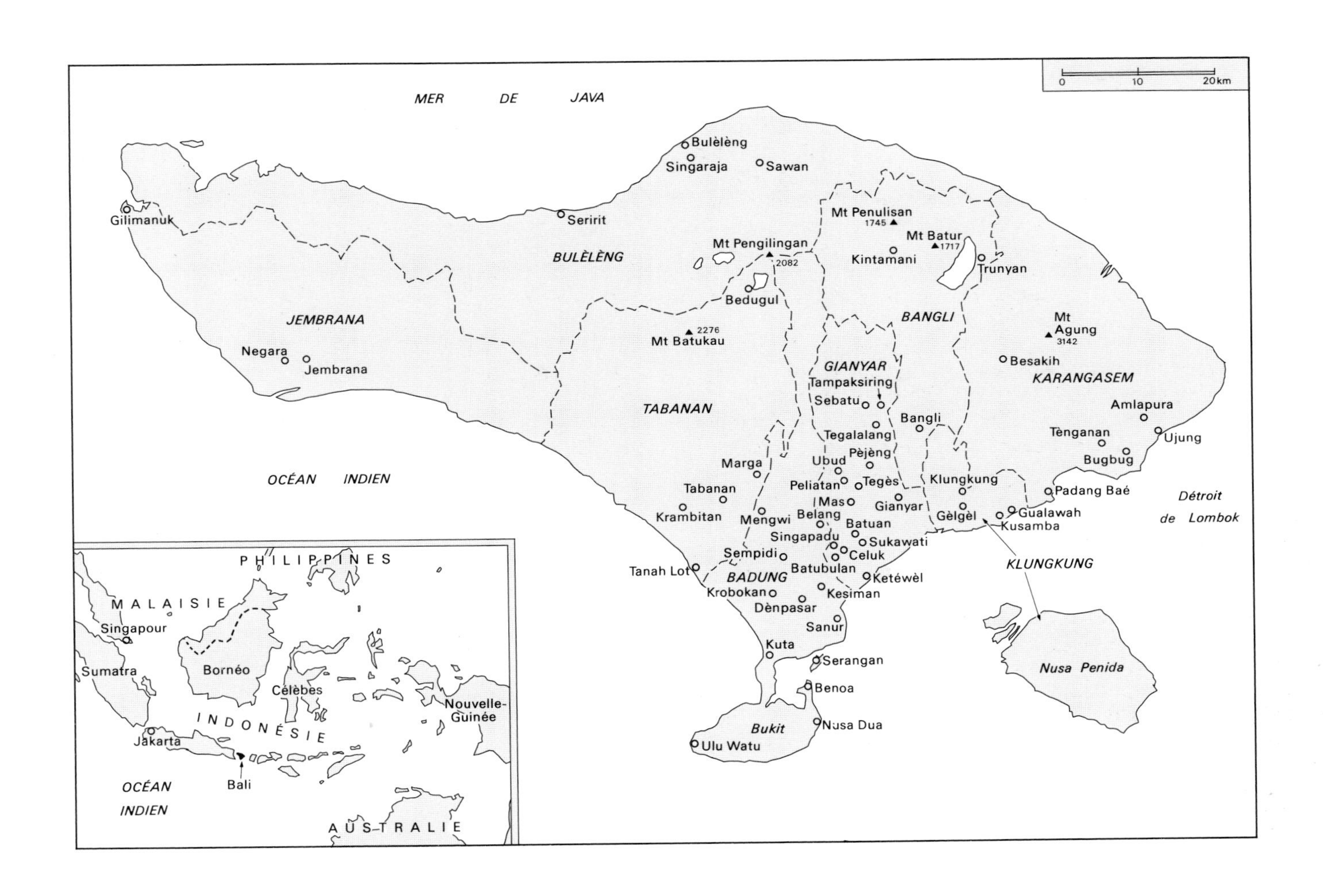
MER DE JAVA
0 10 20 km
Bulèlèng
Singaraja
Sawan
Gilimanuk
Seririt
Mt Penulisan
1745
Mt Batur
1717
Mt Pengilingan
2082
Kintamani
Trunyan
BULÈLÈNG
Bedugul
JEMBRANA
2276
Mt Batukau
BANGLI
Mt
Agung
3142
Negara
Jembrana
GIANYAR
Tampaksiring
Besakih
KARANGASEM
Sebatu
TABANAN
Bangli
Amlapura
Tegalalang
Tènganan
Ujung
Pèjèng
Bugbug
Ubud
Marga
OCÉAN INDIEN
Peliatan
Tegès
Klungkung
Padang Baé
Tabanan
Mas
Gianyar
Détroit
de Lombok
Krambitan
Mengwi
Belang
Gèlgèl
Gualawah
Kusamba
Batuan
Singapadu
Sukawati
Sempidi
Celuk
KLUNGKUNG
Tanah Lot
Batubulan
BADUNG
Ketéwèl
Krobokan
Kesiman
Dènpasar
Sanur
Kuta
Serangan
Nusa Penida
Benoa
Bukit
Nusa Dua
Ulu Watu
PHILIPPINES
MALAISIE
Singapour
Sumatra
Bornéo
Célèbes
Nouvelle-
Guinée
INDONÉSIE
Jakarta
Bali
OCÉAN
INDIEN
AUSTRALIE

Légendes

1 Au pied des rizières en terrasses, un paysan profite du niveau élevé de l'eau à ce stade de l'irrigation pour pêcher à la ligne. Région de Tampaksiring, 1975.

2 Le retour des pirogues à balancier, dans l'océan Indien, au large du temple d'Ulu Watu. 1978.

3 Au cours d'une *ngabèn,* cérémonie funéraire, un parent du défunt porte les offrandes vers le lieu d'incinération. Région de Klungkung, 1975.

4 Les marches qui mènent au Gunung Kawi, mausolée du souverain Udayana et de sa famille. Au nord de Tampaksiring, 1975.

5 La fille d'Ida Bagus Putu Buddha et de Dayu Byang Putu Ribèk rapporte l'eau de la rivière, le matin, à Celuk. 1979.

6 Rizières avant l'orage, en saison des pluies. Région de Tabanan, 1973.

7 Pêcheurs sur les plages de sable volcanique. Ujung, 1975.

1

« Je suis très honoré de servir ce pays où les terres sont fertiles et les voleurs absents. Nos grands prêtres veillent; nos guerriers sont invincibles grâce à leurs armes magiques. Moi, je ne suis qu'un humble serviteur, alors, ô dieux ! pardonnez par avance mes erreurs. »

C'est avec ce chant que le *penasar,* récitant-bouffon traditionnel, incarnation du fonds dynamique et populaire sur lequel repose l'édifice balinais, fait son entrée en scène. Son titre vient de *dasar,* la base. Plus de 90 pour 100 de la population de Bali partage sa condition de *sudra,* la quatrième et la plus basse des castes.

L'aube humide se condense sur la peau de Madé quand il traverse les nuages de brume sur le chemin de la rizière. Madé est *sudra*; il vit du produit de la terre. Il s'enfonce avec une joie sensuelle dans la matière bourbeuse alors que la boue commence à fumer sous la chaleur et que le soleil se réfléchit dans l'eau de la rizière. Il plisse en vain les yeux pour échapper à l'ivresse de la lumière. La serviette éponge nouée autour de son front se fait lourde et ne retient plus la sueur. Les gouttes salées l'aveuglent, ruissellent sur le visage plat, glissent sur le nez, coulent le long des rides et noient la bouche large et charnue. Il se met en marche, levant très haut les genoux à chaque pas, et s'approche de la digue qui borde le champ. D'un bond, il s'extrait du limon et s'assoit sur l'herbe rase de la murette. Il dénoue son turban avec une impatience qui rend ses gestes maladroits et s'en tamponne le visage. Il se penche, crache et vide ses narines en soufflant d'un coup sec. Madé frotte ses mollets sur l'herbe du talus sur lequel il est assis. Les écailles grises de boue séchée tombent en poussière. Ses jambes, sans un poil, luisent comme un bronze quotidiennement astiqué. A force de piétiner la terre, elles se sont transformées en outils usés par le frottement. Ses pieds sont également façonnés par le travail; ils sont plus durs que les sandales portées les jours de fête. Les orteils écartés évoquent ceux des grenouilles qui foulent les mêmes territoires. Le pied est à l'image du *sudra*, l'homme du peuple. Il sert d'appui au corps, comme le *sudra* soutient les trois castes supérieures. Il est en rapport permanent avec la terre qu'il féconde. D'un caractère ouvert et confiant, il ne tolère aucune prison, aussi confortable soit-elle.

Selon les lois de la souveraineté élaborées en Inde cinq siècles avant notre ère, la société idéale se divise en trois castes : *brahmana,* prêtres; *kasatria,* rois et guerriers; *wésia,* éleveurs et marchands. Les *sudra* entrent dans une configuration élargie, où apparaît leur rôle complémentaire mais fondamental d'agriculteurs.

la communauté villageoise : la fête des hommes

Après huit siècles de dialogue avec les réalités balinaises, ce système de fonctions est devenu moins exclusif qu'en théorie. Il a dû s'articuler sur le jeu complexe des hiérarchies existantes dans la population de l'île.

Les *sudra* se déclarent parfois « hors castes » afin de mieux rivaliser avec elles, en recourant à des origines aristocratiques locales antérieures aux influences indiennes. Certains, au contraire, se considèrent comme membres d'une véritable caste *sudra,* et refusent les alliances avec leurs partenaires aux titres pourtant prestigieux. Cette attitude les valorise et leur permet de maintenir les liens de parenté avec leur ancêtre fondateur.

L'ensemble de la société se divise en une multitude de familles à ancêtre commun, fières de leur titre. A l'exemple de la noblesse, de nombreuses lignées populaires héritent de droits correspondant à des particularités religieuses, politiques ou professionnelles, tels les *Pandé,* experts dans l'art des métaux. Comme tous les forgerons du monde, les *Pandé* ont un statut ambigu. Les *Pandé besi,* spécialisés dans les armes et les outils de fer, se sont rendus indispensables et ont acquis des privilèges exceptionnels pour des *sudra :* leur cérémonie funéraire est digne de la Cour. Par contre, ils sont cantonnés dans les quartiers maudits des villages, et accusés de toutes les calamités, dont la pire, à Bali, semble être l'avènement de la société industrielle et du capitalisme, si l'on en croit ce dialogue comique entre Kartala et son frère aîné Punta, les deux *penasar* du théâtre masqué :

Kartala : « Un jour, notre ennemi *Pandé* Bayang Kara fut obligé de s'enfuir du royaume. Il prit la route de l'ouest et traversa une rivière. Un ouragan surgit et l'emporta. Les soldats de Sukawati (principauté du Sud-Est) poursuivaient le *Pandé,* demandant à tous ceux qu'ils rencontraient : "Où est-il passé ? Où est-il passé ?" Ceux qui se trouvaient au bord de la rivière répondirent : *"Merika ! Merika !"* (Par là, par là !), en montrant l'ouest. Depuis ce temps-là, l'île qui est à l'ouest ne s'appelle plus Java, mais Amérika ! »

Punta : « Ça, alors ! »

Kartala : « Notre forgeron retomba donc en Amérique ! C'est pour cette raison que l'on y trouve tant de machines de nos jours. Là-bas, on peut demander n'importe quoi et l'obtenir... »

Punta : « Vraiment ? Et si l'on n'a pas d'argent ? »

Kartala : « Si l'on n'a pas d'argent, on n'a rien du tout ! »

La disparition du pouvoir politique de l'aristocratie, au début du siècle, n'a pas entraîné de transformations essentielles dans les activités de la population : l'attitude par laquelle les *sudra* honoraient leurs souverains est la même que celle qui continue à fonder les lois religieuses garantissant le système hiérarchique de leur propre groupe.

L'économie de l'île n'a pas connu de grands bouleversements : le territoire a toujours été la propriété de ceux qui le mettaient en valeur, même si, de droit, il appartenait aux souverains, comme l'eau nécessaire à l'irrigation dépend aujourd'hui encore du bon vouloir du dieu Wisnu.

La noblesse prodiguait les richesses qu'elle recevait au

cours de cérémonies dont l'ensemble de la population partageait les bénéfices symboliques; les *sudra,* de leur côté, dépensaient considérablement pour leur propre prestige.

La condition des *sudra* n'a pas été celle du servage; les services rendus à quelques supérieurs n'ont jamais mis en péril leur prospérité : la garantie d'une surproduction est la condition de la générosité rituelle dont ils ont toujours fait preuve.

Dans les six cents villages de l'île, se répartissent 90 pour 100 de la population, où sont représentées toutes les catégories sociales.

Les Balinais sont tournés vers l'intérieur des terres et non vers les côtes, sur lesquelles aucun port n'a été aménagé, au désespoir des colons et des marchands.

Les courants capricieux qui attirent au large n'empêchent pas quelques pirogues à voile de s'aventurer sur l'océan, mais le poisson est souvent pris à la marée basse, dans la lagune peu profonde. La pêche n'atteint le centre de l'île que sous forme de saumure, à l'exception de la chair (vraiment appréciée et même nécessaire aux rites) des tortues géantes capturées aux abords de l'île de Serangan.

Dans la région de Kusamba, le sable noir volcanique est raffiné sur la plage, jusqu'à obtention du sel gris et iodé que l'on trouve sur tous les marchés.

Les femmes des hameaux côtiers ramassent les blocs de corail échoués, utilisés comme matériaux de construction ou transformés en chaux — laquelle est indispensable à la préparation des chiques de bétel.

Ces quelques activités ne suffisent pas à attirer les habitants vers les côtes arides, réputées maléfiques. Il en va de même pour les terres septentrionales, froides et pentues, que les agriculteurs se contentent de transformer en jachères sèches, afin d'y cultiver café, clous de girofle ou arachides.

Par contre, les Balinais recherchent la proximité des terres limoneuses et de l'eau douce, toujours plus pure en amont, qu'ils recueillent dans les jardins miroitants des rizières. De la chaîne volcanique qui s'étend latéralement dans le Nord de l'île sont issues les sources pérennes : même en saison relativement moins humide, d'avril à septembre, elles alimentent les rivières dont le cours sculpte les contreforts montagneux. De part et d'autre de leur lit ont été construits la majorité des villages.

Écologie, société et métaphysique se sont mises d'accord : l'intérieur est meilleur que l'extérieur; le haut est préférable au bas; l'homme participe des deux, sa juste place est au milieu, *madia.*

La demeure balinaise se présente comme une cour en terre battue entourée de murs, où se répartissent, de la périphérie vers le centre : le verger, le potager, la basse-cour, le *sanggah,* temple ancestral, les pavillons d'habitation et le jardin d'agrément.

La propriété des *sudra* ne se différencie pas essentiellement de celle des nobles, mais chacune de ses parties porte un nom moins prestigieux et fait l'objet de consécrations plus ordinaires. La maison est le miroir, le microcosme de la société qui l'a fondée : elle est fonctionnelle et rituelle; ses éléments sont orientés et hiérarchisés; elle est à la fois ouverte et fermée, pleine de sagesse et de folie.

Dans une même enceinte, vivent le chef de famille, sa femme, ses parents, ses frères, ses sœurs et ses enfants encore célibataires. Lors de son mariage, la femme a abandonné son appartenance au *sanggah* de ses parents pour s'affilier à celui de son mari. Quand les cadets du chef de famille se marient, ils établissent à proximité une nouvelle demeure et y fondent un *sanggah,* avec toutes les précautions rituelles nécessaires : l'espace n'appartient pas d'abord aux hommes, mais aux forces cosmiques. Occupé dans l'illégalité rituelle, il est la porte ouverte à tous les dangers.

A travers la multiplication des demeures et des temples de la famille, se dessinent les lignées plus ou moins directes ou collatérales, qui finissent par se réunir autour d'un même sanctuaire où est vénéré l'ancêtre commun.

Chacune des branches doit prendre en charge les offrandes et les dépenses nécessaires à l'entretien de certains autels, selon sa place, sa fonction ou sa prétention généalogique. La fameuse religiosité balinaise, tant admirée de l'extérieur, s'exprime souvent par des affaires de comptabilité très pragmatiques.

Dans toutes les demeures, le *sanggah* est orienté vers le volcan Gunung Agung, siège du panthéon et nombril du monde. Quelques niches surélevées y servent de réceptacles aux divinités protectrices de la famille. A l'opposé, vers la mer, s'étend la décharge, porcherie et lieu des toilettes. L'entrée, au nord, rarement munie de porte, est protégée par une murette intérieure qu'il faut contourner, ce que ne savent pas faire les démons *bhuta,* aveugles, comme leur nom l'indique.

A l'intérieur, la campagne continue et longe les murs sous forme de verger, de potager : jackiers, orangers géants, bananiers, patates douces...

La cabane enfumée qui fait office de cuisine se situe au sud, pôle brahmanique dont le feu est l'attribut.

Le *jinang,* grenier sur pilotis, est couvert d'un toit épais de chaume gris. Les larges rondelles de bois fixées à mi-hauteur de ses quatre piliers dissuadent les rongeurs d'atteindre la réserve, à laquelle on accède par une échelle, en ouvrant une petite porte parfois flanquée de gardiens, statues à l'image d'une chouette ou d'un chat.

Au centre de la cour, parmi les buissons d'hibiscus, se dressent les *balé,* préaux ou pagodes sans étage. Leur socle s'élève par deux ou trois marches au-dessus du sol. De cette assise montent les colonnes de bois qui soutiennent la charpente, faisceau de bambous recouverts d'herbe tressée.

Les proportions des *balé* se calculent conformément à la *sikut satah,* loi architecturale relative à la surface de la cour. Les éléments particuliers des pavillons se mesurent à l'échelle humaine : écartement des doigts de la main, longueur du pied, hauteur des pieds à la tête. Sous chaque *balé,* quatre piliers soutiennent le lit, natte rigide fixée à un mètre au-dessus du socle.

Les murs sont rares; fermant parfois l'angle d'un *balé,* ils ne sont pas destinés à porter la charpente et ne touchent pas le toit. Les membres de la famille restent ainsi à portée de voix et de regard.

Les parents, dans leurs rapports intimes, et les grands-parents dans leur sommeil, se réfugient à l'intérieur du *cegang,* pavillon bas, fermé par une porte étroite de bois sculpté.

Le moindre lieu de la propriété est attribué à des résidents déterminés, membres de la famille, esprits célestes, terrestres ou infra-terrestres, selon leur place dans l'échelle sociale et cosmique.

Si la demeure s'identifiait au modèle du corps, dans la totalité mythique de ses organes, le temple serait la tête; le pavillon principal, les bras; la cour intérieure, le nombril; le portail, le sexe; la porcherie, l'anus; le grenier, les jambes; la cuisine, les pieds.

Composée d'hommes et de femmes, la maisonnée est également une cellule mâle et femelle qui vient s'articuler sur ses voisines, pour former des collectivités plus vastes.

Aussi différenciée et hiérarchisée qu'elle soit, la société balinaise n'aboutit pas à l'exaltation de l'individualisme ni au cloisonnement de ses membres. Au contraire, elle a donné naissance à un réseau de collectivités unique au monde.

Les résidents de chaque hameau font partie d'une association, le *banjar.* Une fois par mois, les troncs d'arbres évidés font entendre leur voix mate et puissante : *« kulkul ! kulkul ! »;* ils appellent les membres du *banjar* à venir s'asseoir à l'abri du vaste préau de réunion. Un responsable, élu démocratiquement, sert d'intermédiaire entre les villageois et les offices réformistes du gouvernement. Il supervise l'intendance de l'école, explique les avantages du planning familial ou de l'insémination artificielle des vaches : « Il vaut mieux les marier à une seringue ! » lit-on sur les panneaux promotionnels naïvement illustrés. Le chef coutumier, lui, prend garde à ce qu'aucune modernisation ne contrevienne à l'*adat.* Il veille à l'entretien du temple du *banjar,* organise les rites qui mettent à contribution la communauté entière : anniversaires, premières menstruations, cérémonies de limage des dents, mariages. Le *banjar* ne se préoccupe pas seulement de l'« humanité », *manusa,* de ses adhérents, mais aussi de leur âme, *pitra,* en assurant la crémation de leur corps.

Seuls les hommes mariés participent aux réunions du *banjar,* car chaque tâche est partagée spécifiquement entre hommes et femmes. Ces dernières ne sont pas chargées des travaux les moins pénibles. En file indienne, elles transportent sur leur tête pierres, briques, noix de coco, jarres d'eau nécessaires à la cuisine... Certaines activités leur sont exclusivement réservées : élevage des poulets et des cochons, tissage, moissons. Elles contrôlent également les marchés, ce qui leur assure une autonomie financière.

Les hommes élèvent bêtes à cornes et canards, s'occupent de la menuiserie et de la maçonnerie des bâtiments traditionnels, ainsi que de la culture du riz jusqu'à sa maturité. Cependant, hommes et femmes éduquent leurs enfants à tour de rôle et partagent les mêmes tâches à l'occasion des grandes fêtes religieuses.

Jeunes gens et jeunes filles, comme tous ceux qui ne participent pas directement au *banjar,* se regroupent en associations satellites, prenant en main de nombreuses activités à but économique ou culturel.

Les *banjar* sont compris en une unité plus vaste, le *dèsa* ou village. A chaque *dèsa* correspond une congrégation religieuse qui entretient trois temples principaux. Ces différents ensembles territoriaux, administratifs et religieux se superposent rarement avec exactitude; les lieux de résidence, de travail et de culte se trouvent aux nœuds d'un réseau d'affiliations où les individus et les groupes s'insèrent d'une manière particulière, en fonction de leur propre histoire. Les comités, auxquels chacun appartient en tant qu'habitant, agriculteur, membre d'une famille, d'un clan, d'une caste, d'une association religieuse ou civile, représentent autant de sociétés autonomes au carrefour desquelles se définit la place du Balinais. Les groupes constitués sont souvent eux-mêmes en porte à faux. Les membres des *banjar* de Tegès, par exemple, possèdent leur propre sanctuaire; cependant, les divinités qu'ils y honorent sont considérées comme les cadettes ou les vassales de celles de Pèjèng, un village voisin. Les habitants de Tegès doivent donc prendre en charge, en plus de leurs propres cérémonies, une partie de celles qui se déroulent à Pèjèng.

Ainsi, la société se met en scène à travers sa relation au divin, et fait passer dans la trame de l'idéal la chaîne moins innocente des rapports de pouvoir.

Chaque *dèsa* englobe en moyenne une cinquantaine de *banjar,* et tend, en principe, à les rassembler autour de ses trois temples. Dans le *pura pusah,* temple ombilic, les villageois vénèrent les forces primordiales; au *pura dèsa,* temple du village, ils entretiennent les mânes protecteurs de la communauté; grâce aux divinités du *pura dalem,* temple profond, ils se concilient les puissances destructrices et infernales. Tous les membres du *dèsa,* et plus spécialement ceux qui ne sont pas déjà liés par le culte d'un ancêtre commun, profitent des cérémonies de ces trois sanctuaires. En contrepartie de leurs travaux rituels, ils peuvent tenter leur chance auprès des divinités de la santé, de l'économie, de l'amour, de la fertilité ou de la mort.

Les *dèsa* sont également des cellules administratives qui élisent leur maire. Pour les questions dépassant leur compétence, les maires en réfèrent au chef de district, élu par le parlement. Ce dernier comprend, entre autres, les huit préfets de région, nommés, ainsi que le gouverneur de Bali et ses ministres, par le sénat de la République qui siège à Jakarta. Chacune des huit régions, dont les limites correspondent à celles des anciens royaumes, possède quelques grands sanctuaires où se réunissent les clans dominants ou les descendants des familles royales. Le pouvoir politique actuel, pour être efficient, doit passer par son ministère des affaires religieuses, et se conformer au découpage du territoire que maintient la société traditionnelle.

De la demeure privée à la province de Bali, en passant par le *banjar,* le *dèsa,* le district, la région..., du modeste *sanggah* jusqu'à Pura Besakih, premier sanctuaire d'État, les Balinais s'évertuent à confondre les affaires civiles et les lois coutumières de l'*adat.* La plupart des habitants des villes ne sont sortis de leur village qu'en apparence : appartenir au comité d'entraide de leur quartier ne les empêche pas de rester liés par des obligations concrètes à leur *sanggah* d'origine et à leur *banjar* rural.

Le développement des entreprises industrielles et commerciales forceraient les Balinais à déplacer le centre de gravité de leur espace rituel et à perdre leur identité; c'est pourquoi la société moderne de l'île se fonde plutôt sur les services publics et administratifs.

Après un déjeuner froid composé d'arachides pilées et de riz collant étuvé dans une feuille de palmier, Madé s'en va à la rizière, une bêche sur l'épaule, une machette glissée entre les fesses et la culotte. Sa femme prépare le repas de la journée : du riz et quelques morceaux de viande, de légumes et de fruits verts cuisent dans du lait de noix de coco pimenté. Elle apporte les restes aux cochons qui accourent à son appel.

Les jeunes filles balayent les marches des pagodes à l'aide d'une brassée de fibres de bambou et s'en vont chercher de l'eau au puits ou à la rivière proche. Les jeunes garçons entretiennent les braises sous les marmites, à la cuisine, et s'amusent à faire reculer les chiens en frappant le sol de leurs pieds nus.

Les grands-parents se sont levés très tôt, après une première chique de bétel. En compagnie de sa belle-fille, la grand-mère prélève des pincées de la nourriture du jour, afin de préparer les petits dons rituels, *banten ngejot,* offrandes aux divinités de la demeure. Le grand-père décortique le tronc d'un palmier et en donne le cœur aux canards.

Les enfants en uniforme partent à l'école en chemise blanche à l'emblème du *banjar.* Les femmes s'en vont au *pekan,* au marché, un panier plein de bananes ou de papayes en équilibre sur la tête. Le *pekan* se tient deux fois par semaine au chef-lieu de district. Les femmes s'y rendent souvent en *bémo,* camionnette contenant dix personnes mais en acceptant vingt; elles s'y pressent au milieu des paniers de fruits et de légumes. Parfois, elles font quelques kilomètres à pied pour se rendre au *pekan,* menant en laisse un cochon noir au dos incurvé et à la panse traînante. L'administration régionale perçoit une taxe sur chaque cochon tué, sous prétexte de refréner le trop grand nombre de sacrifices rituels, qui amènent la population à tuer en une seule fois plus d'animaux qu'elle ne peut en consommer. Depuis que cette réglementation est appliquée, les Balinaises n'hésitent pas à vendre un cochon de temps à autre. Les plus âgées d'entre elles ont connu bien pire à l'époque de l'occupation japonaise, où il fallait se cacher pour égorger un poulet. Succédant aux anciens souverains, qui bénéficiaient de quelques-uns des produits les plus frais exposés au marché, le gouvernement actuel perçoit le montant du loyer de chaque emplacement de vente. Les marchandes ne font jamais de gros bénéfices; le *pekan* est vécu de l'intérieur comme une affaire de famille : les membres d'un village, d'un hameau, d'un clan, achètent au prix le plus bas les marchandises que détiennent les vendeuses de leur propre groupe.

Le marché mêle toutes les couleurs et toutes les odeurs : les *jambu,* fruits à la chair rose translucide, les *salak* à la peau de reptile, les volumineux *nangka,* fruits de jackier aux fibres jaunes et sucrées, les *jeruk,* agrumes verts cinq fois plus gros qu'un pamplemousse. Les pains de sucre de palmier *jaka* attirent les insectes, et la chaleur fait monter les effluves de la *petis udang,* saumure de crevettes.

Lieu de prédilection des femmes, le *pekan* est aussi un marché aux nouvelles, qu'elles échangent au même rythme que les pièces de monnaie. Elles ont toutes *sèn kupingné di jaba,* « l'oreille penchée vers l'extérieur ». Cet organe sert également de portefeuille aux vieilles Balinaises : elles roulent et enfilent les billets dans le lobe percé de leur oreille, à la place des cornets de feuille d'or qu'elles portaient le jour de leur mariage. Les marchandes les plus pressées trouvent des offrandes toutes faites à l'étalage d'une voisine, ce qui leur permet de rendre grâce aux divinités du *pura melanting,* temple du marché. Le *pekan,* commencé vers six heures du matin, se termine en général en fin de matinée; les femmes vont alors apporter un repas aux hommes qui se reposent à l'ombre, au bord de la rizière.

A midi, heure défavorable aux déplacements, personne n'est hors de chez soi. L'après-midi, les femmes râpent des noix de coco; les plus âgées filent le coton. Les vieux ramènent les canards de la rizière, et les jeunes les buffles.

De retour de l'école, les garçons fabriquent des cerfs-volants ou dessinent; les filles écoutent la R.R.I., radio-Bali, ou aident leur mère dans les travaux domestiques. Avant la nuit, les hommes partent se baigner à la rivière, en amont des femmes.

De retour, ces dernières, sur le pas de la porte, font *mekutu :* elles se cherchent les poux, même si elles n'en trouvent que rarement. A la tombée du jour, la maisonnée est réunie. Les lampes s'allument au premier chant du lézard *toké.*

Chacun va chercher à la cuisine un repas froid et dîne dans son coin : manger est une affaire agréable mais intime, peu propice à la conversation, à l'inverse du bain ou de la toilette.

Les femmes se regroupent, la tête de l'une sur les genoux de l'autre. Les hommes également sont appuyés les uns contre les autres ou se tiennent la main en signe d'amitié.

Madé et sa femme jouent avec leurs jeunes enfants, les entraînent à marcher sur deux jambes ou à utiliser de préférence leur main droite.

La mère séduit son bébé, faisant monter chez lui la tension affective; quand il atteint le paroxysme de l'excitation, elle le repousse, lui apprenant ainsi à ne pas se laisser déborder par les pulsions.

La nuit est le domaine des penseurs, des artistes et des bavards. Après avoir mis des vêtements propres, les Balinais se rendent chez l'un ou chez l'autre, sous le préau du comité du quartier, à la table d'un *warung,* café-épicerie de plein air, pour parler et boire de la bière de palme, *tuak.* Cependant, le lendemain à l'aube, chacun sera vigilant dans sa rizière.

Depuis onze siècles, la répartition de l'eau dans les *sawah,* rizières irriguées, est le souci majeur de la population, tel que cet intermède comique du théâtre masqué en témoigne :

Punta et son cadet Kartala font le tour de la scène, au rythme régulier du *gamelan.* Punta marche vite et à grandes enjambées. Kartala, derrière lui, se dandine mollement et semble avoir peine à le suivre. Ils se figent à l'instant où les derniers coups de maillet tombent à l'unisson sur les lames de bronze. Punta se retourne.

Punta : « Allons ! Petit frère ! Il faut danser comme moi, avec vigueur, si tu veux te réchauffer. Quand tu vas au temple, gardes-tu cette allure nonchalante ? Et quand un incendie se déclare, y vas-tu aussi lentement que ça, pour porter les seaux d'eau ? (Il imite Kartala et chante pour accompagner ses gestes.) *Dililing, déléleng, dololong...* si tu te conduis ainsi, les gens de ton quartier ne seront pas contents et voudront t'assommer ! »

Kartala : « Je ne peux pas changer ma démarche, c'est de naissance ! Maintenant, je vais te montrer : quand tu vas au temple, il faut marcher comme ça, *dirr, dorr, dèrr.* (Il prend un pas solennel et mesuré.) Mais si jamais tu vas à ta rizière et qu'elle est sèche, alors là, il faut courir comme ça. » (Retenant sa coiffe, il se précipite, dans une course grotesque.)

Répondant au besoin d'élargissement du territoire irrigué, les Balinais ont mis au point une organisation qu'aucun individu ni village isolé ne pourrait remplacer, celle des associations *subak*. Ce terme désigne le comité lui-même, les tâches agricoles et religieuses qui lui incombent, la surface qu'il couvre, et l'ensemble de ses membres.

En général, un canal d'amenée va d'un premier barrage à un second, d'où part un deuxième canal qui, barré à son tour, donne naissance à un réseau d'artères et d'artérioles. Toutes les rizières qui profitent de ce réseau font partie de la même *subak*, entité distincte de celles auxquelles ses membres sont affiliés par ailleurs. Le fait d'appartenir à tel village, temple, caste ou parti politique, n'entre pas en ligne de compte à la *subak*.

Les agriculteurs se réunissent autour de leur chef, élu à la majorité des voix ainsi que ses adjoints. En échange de leur rôle de responsables, ils sont déchargés de certaines tâches pénibles. L'ordre du jour de la plupart des réunions concerne les travaux collectifs les plus urgents : renforcement d'un barrage, désensablage d'une écluse, nettoiement d'un filtre, réfection d'un aqueduc en bambou ou d'une digue, percée d'un nouveau canal, parfois souterrain, à travers le tuf volcanique. La constitution ne se montre pas tendre envers les absents aux réunions, et encore moins envers ceux qui auraient détourné de l'eau à leur profit. La répartition des ressources, eau et semence, se fait en fonction d'une norme fixée par chaque *subak* : la *kesit*, quantité d'eau, ou bien *tanah*, surface de terre, qui correspondent à l'unité minimale de distribution, égale pour tous les membres de la *subak*. En général, une *kesit* couvre une cinquantaine d'ares, que chaque bénéficiaire divise en parcelles. Quand plusieurs frères exploitent une propriété en commun, les services à rendre à la *subak* sont proportionnels à leur nombre et non à l'étendue de leur terrain.

Si les mentalités des agriculteurs n'étaient pas, comme leur *sawah*, façonnées depuis des générations par les lois de la *subak*, il serait loisible au propriétaire du haut d'une colline d'assécher ou d'inonder ses voisins en aval. La confiance réciproque, l'utilisation des méthodes d'irrigation les plus sophistiquées ne tranquillisent pas complètement les riziculteurs, soucieux de maintenir l'équilibre fragile de leurs jardins semi-aquatiques.

Non loin du hameau de Tegès, Madé inspecte ses *sawah* qui s'étagent au flanc de la colline. Les pousses à peine vertes, espacées d'une main, sont à moitié immergées. C'est la période la plus délicate de leur croissance. Si le niveau d'eau est trop élevé, elles se noient et pourrissent; s'il est trop bas, elles se dessèchent. Quand l'eau court trop vite, elles se déracinent; quand elle stagne, les algues se propagent et les étouffent. S'aidant du manche de sa bêche comme d'une perche, Madé glisse en bas du talus encore à l'ombre. L'eau s'écoule en un mince filet par un bambou fixé à mi-hauteur. « Ça ne coule pas très fort, constate-t-il. Il faudra libérer un canal supplémentaire, là-haut. A moins qu'une fuite se soit produite en cours de route ? Si l'arrivée principale est trop faible, j'en parle dès ce soir à mes partenaires de la *subak*. » Madé tend l'oreille, attentif à un rythme régulier qui lui parvient du sommet de la colline : « *Tak lu tak, tak lu tak...* » Le tempo est rapide. De ce côté-là, il n'y a pas de souci à se faire, le débit est suffisant.

Voilà plus d'un demi-siècle, Madé apprenait, aux côtés de son père, à installer le *taklutak*, appareil plein d'astuce et de simplicité : une gouttière en bambou pivote sur un axe; l'eau qui la remplit la fait basculer en avant; en se vidant, le bambou frappe une butée avec un son mat et revient à sa position initiale. Ainsi, l'agriculteur n'a pas à se déplacer pour vérifier la rapidité du flux. Il lui suffit d'écouter. Les instruments de musique que jouent les rizières sont les *taklutak* et les crécelles à vent qui épouvantent les oiseaux.

Le chef de la *subak* distribue les graines que chacun fait germer. De nombreux agriculteurs déplorent la disparition progressive du « riz balinais », réputé le meilleur d'Indonésie. Rare et cher, il est de plus en plus souvent réservé à la confection des offrandes majeures. Les offices gouvernementaux spécialisés dans le développement agricole incitent les responsables locaux à propager des espèces hybrides, notamment la IR 36, dont la rentabilité est supérieure à celle des germes traditionnels. Le paysan peut ainsi faire trois récoltes par an là où il n'en faisait que deux, et dépasser la production habituelle - environ deux tonnes à l'hectare. Cependant, ces nouvelles espèces ne présentent pas que des avantages : outre la médiocrité de leur produit, elles appauvrissent les terres et rompent l'équilibre écologique.

Madé porte sur son épaule un vieux tronc de bananier; il va alimenter en engrais naturel sa *sawah* épuisée par un trop fort rendement. Selon le procédé *mebérok*, faire pourrir, il retourne la terre, la submerge, enterre le tronc débité à la machette et foule aux pieds la boue pleine de bulles. La décomposition végétale fait fermenter le sol et le rend fertile.

« Jadis, faire *mebérok* suffisait à bonifier une *sawah*, déclare Madé. Aujourd'hui, avec les nouvelles *bibit*, les nouvelles graines, il faut acheter tout le temps des engrais. Dans l'affaire, je ne suis pas sûr d'être gagnant, conclut-il en arrachant l'une après l'autre ses jambes au limon avec un bruit de ventouse qui se décolle. »

Madé se rince les jambes, longe le bas du talus et monte les marches qui, modelées dans la terre, mènent à la plate-forme supérieure. Il suffoque dans la fumée des pailles de riz qui achèvent de se consumer. Ici, tout le travail reste à faire; sur cette parcelle difficile à irriguer, les engrais et le soleil ont brûlé le terrain qui s'est durci comme de l'asphalte. Il doit briser cette croûte, casser les mottes, enfouir la cendre.

« Je n'arriverai jamais plus à transformer cette terre en *sawah* ! Peut-être vaut-il mieux essayer la patate douce ou le maïs ? » Il lui faut un grand courage pour entreprendre cette tâche avec pour seul outil une bêche à trois dents.

« Où en est le soleil ? cherche-t-il en plissant les yeux. Ce n'est pas encore *jejag hai*, la lumière verticale, le temps du repos. Mon *jankul*, ma bêche, c'est à nous de jouer maintenant. Et vous, Ibu Pertiwi et Déwi Uma, déesses-mères de la terre, n'ayez pas de rancune si je vous brutalise. »

Madé se met à bêcher. Il marche à reculons, laissant une tranchée devant lui. Il ne s'interrompt que pour rajuster l'étoffe qui entoure ses reins et passe entre ses cuisses. Le soleil joue sur les muscles de son dos, brûle ses épaules et pèse sur son crâne dégarni. Au milieu du parcours, il se sent faiblir et ça le vexe. Alors, au lieu de s'arrêter, il frappe comme s'il voulait casser le manche. Les dents de son outil sont aussi féroces que celles de Benaru, le démon. Ses narines se dilatent. Il respire au rythme des coups qu'il porte avec colère, l'esprit et les muscles vides de toute pensée. Arrivé au bout du terrain, le rictus s'efface, il jette la bêche sur son épaule, bombe le torse et, d'un pas de parade, gagne l'ombre de son abri.

Les responsables de la *subak* ne se contentent pas de répartir ponctuellement les matériaux et les tâches; il leur faut aussi planifier les activités de l'ensemble de leurs associés. Pour des raisons à la fois pratiques et religieuses, il est souhaitable que tous les champs d'une même *subak* soient récoltés simultanément; c'est pourquoi le repiquage du riz est particulièrement bien orchestré. Une fois les terres prêtes, la *sawah* la plus élevée est irriguée, et son propriétaire repique en une journée. Le lendemain est traditionnellement réservé au repos général, mais, dans les vingt jours qui suivent, chacun doit avoir terminé son repiquage.

Les différentes étapes de la culture dépassent les forces individuelles : les membres de la *subak* se groupent en sociétés d'entraide collective et font appel à des associations qui exécutent des travaux spécifiques : elles nettoient les jeunes pousses, bêchent la terre, désherbent les talus ou moissonnent. Malgré son fonctionnement communautaire, la *subak* n'est pas une ferme collective; chacun finit par stocker sa récolte dans son propre grenier, après avoir donné la part qui revient aux associations dont il a bénéficié. L'aide de particulier à particulier, l'appel à des corporations de travailleurs indépendants impliquent des échanges ou des rétributions.

Celui qui, par le hasard défavorable des héritages, ne possède pas de *sawah*, peut en cultiver une à destination rituelle, la rizière du temple. Il l'exploite individuellement, et garde un tiers de la récolte; le reste va à la congrégation qui supporte le sanctuaire. Depuis une vingtaine d'années, la société balinaise se transforme, et il devient de plus en plus fréquent d'acquérir sa propre rizière.

Madé n'est pas un simple agriculteur; il est également l'un des musiciens les plus habiles de son village. Il a acheté un terrain grâce aux cachets rapportés d'une tournée à l'étranger.

En amont, au bord de la terrasse, une silhouette passe en chantant, faisant traîner les syllabes à plaisir pour mieux les moduler.

« Le roi Anom s'éveille peu à peu
En écoutant chanter une flûte lointaine. »

Il semble que c'est Ketut, le quatrième fils du voisin. Madé met sa main en visière pour mieux le distinguer, et se met à chanter, imitant les accents d'une jeune amoureuse dépitée :

« Tu me brises le cœur au-delà de tout
Je ne puis le supporter.
Je souhaite que tu t'en ailles vite, Ketut. »

— Hé, père Madé, répond Ketut en riant, déjà fini le travail ?

— Non, mais ça avance. Qu'est-ce que tu transportes là, Tut ?

— C'est le joug des buffles. C'est lourd. Tu ne veux pas labourer avec deux buffles ? C'est plus facile. Je te les prête contre un cinquième de ta récolte. Tu peux même les louer, maintenant que tu es riche...

— Moi ! Riche ? Mais pas du tout. Et puis, je laboure très bien tout seul. Le buffle ici, c'est moi, s'écrie Madé, se tapant sur les cuisses.

— J'ai entendu dire que ce terrain t'appartenait...

— Oui, oui, répond-t-il en baissant la voix. Maintenant, c'est comme ça ! Plus personne ne se contente de travailler dans la rizière du temple.

— Mais comment as-tu fait pour l'acheter ?

— Avec la paye que j'ai rapportée de l'étranger, dit-il sur le ton du secret. Nous sommes allés partout avec l'orchestre et les danses, poursuit Madé avec orgueil. Il y avait au moins cinquante hommes du village dans l'avion, et des milliers de "touristes" à l'arrivée...

— Je me souviens. A cette époque, on ne voyait plus que des femmes, des vieillards et des enfants par ici. Combien gagnais-tu à chaque représentation ?

— Oh ! Ça fait... Je ne sais plus. C'est le responsable des comptes qui s'occupait de l'argent », reprend Madé pour éluder la question.

Ses yeux brillent de malice. Il ne résiste pas au plaisir de raconter la chance qu'il a eue :

« Quand je suis rentré, le propriétaire d'ici était mort. Quelqu'un de Peliatan. Ça tombait juste au moment favorable pour faire la cérémonie de crémation. L'homme était un Agung — de la noblesse. Ceux de sa famille devaient faire construire la grande tour funéraire et le reste, et puis acheter à manger pour tout le monde, alors ils ont mis ces rizières en vente.

— Pas cher, alors. Combien ?

— Le prix normal. Et je n'ai pas encore fini de payer. Ça fait plus de cinquante mille roupies l'are, précise-t-il, riant et rougissant comme un enfant qui ne sait pas mentir. Le crédit est sur deux ans. A la fin, on remplira les papiers officiels.

— Mais tu sais écrire, *Bapak* (papa) ?

— L'autre fois, quand j'étais à l'étranger, on m'a demandé de signer avec les lettres modernes. »

Il prend un air sérieux et fait un geste désordonné de la main droite. Il éclate de rire.

« Voici ! J'ai déclaré, c'est la signature de Père Madé ! C'est la signature de Père Madé, répète-t-il, riant aux larmes. Ah ! Je ne sais pas écrire comme ça. Mais ça va, ça va quand même. Chaque fois qu'on réclamait ma signature, allez, hop !, dit-il en dessinant en l'air un trait horizontal. C'est difficile d'apprendre à mon âge. Quand on est vieux, on reste raide. Et si, en plus, je dois écrire mon adresse : Tegès Kanginan, village de Peliatan, district d'Ubud, récite-t-il en détachant les syllabes, comme s'il était en train de les inscrire avec peine. Il s'y prend à plusieurs fois pour énoncer le mot « district » qu'il finit par prononcer « listrik » (électricité). Si je dois écrire tout ça, c'est impossible, c'est trop. Je ne suis pas allé à l'école. Elle n'existait pas de mon temps. Tu as appris à écrire et à parler le *bahasa indonésia*, toi ?

— Oui, bien sûr.

— Moi, pour parler indonésien, je n'ai pas la base, avec les lettres. J'écoute seulement. C'est comme pour apprendre à *megamel*, à jouer du *gamelan*. Cette phrase, c'est quelle *lagu*, quelle mélodie, et celle-là ? Après l'avoir entendue trois fois, je la connais. Mais il ne faut pas apprendre trop en même temps. »

Ketut reste là, appuyé sur son joug, avec un sourire mi-moqueur, mi-admiratif. Il aimerait écouter le vieux Madé pendant des heures.

A Bali, considérer seulement le riz comme la denrée principale serait minimiser son rôle. Celui qui a déjà dégusté des fruits, des gâteaux, ou même de la viande, ne répondra pas qu'il a déjà mangé, si le riz blanc manquait à ses repas. Manger, c'est manger du riz; le plus souvent du riz étuvé accompagné d'un peu de sel. Le Balinais, à l'appétit aiguisé par l'air des montagnes, en consomme un kilo par jour. Accompagner le riz avec quelque autre chose, c'est déjà *momo*, un repas de luxe.

Le riz n'est pas l'unique ressource des *sawah*. Les Balinais sont friands de *lindung*, sorte de petites anguilles qui peuplent les murettes à moitié immergées séparant les bassins. La *subak* distribue à ses membres des alevins qui sont lâchés dans les *sawah* au début de l'irrigation. Au fur et à mesure de la croissance du riz, les poissons sont rabattus vers le centre de chaque *sawah*, jusqu'à un bassin rond assez profond pour qu'ils continuent à vivre, même aux périodes où les champs sont asséchés. C'est également là que l'ailleul de la famille conduit chaque jour le troupeau de canards, qui s'ébattent sans risquer de saccager la plantation.

Les enfants, après l'école et durant les nombreux jours fériés, vont à la recherche des escargots d'eau et des larves qui finissent dans une soupe au goût subtil de crustacé. Ils chassent aussi les libellules vertes qui, privées de leurs ailes, font d'excellentes fricassées.

Quand la rizière est « haute », toutes sortes d'épouvantails sont mis en place : drapeaux blancs et bleus qui claquent dans le vent, cordes tendues au-dessus des champs, et que les enfants agitent pour faire bruire les bambous fendus qui s'y suspendent...

Plus que l'oiseau ou l'insecte, l'ennemi redouté, c'est le rat, membre d'une société adverse, puissant comme un *bhuta*, démon aveugle dans son désir unique de vivre en détruisant. L'attitude du Balinais envers le rat se tient à l'orée du respect et de la peur. Mille témoins affirment avoir entrevu un rat aussi gros qu'un cheval dévorer une récolte. Les rongeurs capturés et exterminés bénéficient d'incinérations collectives, afin qu'ils se réincarnent dans des enveloppes charnelles moins affamées. Les colonnes votives installées dans les champs recèlent, gravée sur le bambou supportant leur toit, l'image de Carik Tegal, divinité protectrice de la rizière, qui écrase un rat monstrueux sous son pied.

Ida Bagus relate une aventure arrivée à Wayan, un de ses amis, paysan à Batuan :

« C'était la veille de la moisson. Wayan, ne trouvant pas le sommeil, alla se promener du côté de sa rizière, s'assit près d'un bambou adducteur d'eau et attendit. Il aperçut alors un rat qui en sortait, saisit un bâton et le tua. Plus de cent animaux arrivèrent un par un et il les tua tous, jusqu'au moment où apparut un rat encore plus gros que les autres. Alors, il se mit à courir et à crier : « *Tolong, tolong !* » (au secours, à l'aide !) mais il était seul. De retour chez lui, il a continué à hurler jusqu'à l'aube, l'air hébété, sans que personne n'arrive à le calmer, ni à le comprendre. Au matin, l'association de moisson trouva les cadavres de rats entassés près du conduit, mais la *sawah*, de cinquante ares, était entièrement rasée.

Après concertation, les gens de Batuan jugèrent que tout était de la faute de Wayan : il n'avait pas à surprendre les voleurs la nuit, ni à les tuer de cette façon. Depuis, les habitants de Batuan ne chassent plus les rats; ils les contentent par des offrandes, et les dégâts dans les rizières sont minimes.

Il en va de même pour les insectes, que nous éloignons des récoltes en allant prier à Ulu Watu ou à Batu Klotok. Aujourd'hui, avec les insecticides, nous en tuons beaucoup, mais il en revient encore plus... »

Ce comportement envers les prédateurs révèle la manière dont les Balinais considèrent les rapports entre la nature et le surnaturel, et éclaire la motivation du rite des offrandes. La forêt défrichée, transformée en terrain agricole, a été pour ainsi dire empruntée aux démons qui l'habitaient, démons dont l'animalité est l'apparence la plus commune. En cas d'oubli de ce défraiement régulier que concrétisent les offrandes, les anciens propriétaires démoniaques reprennent ce qui est leur dû.

Du riz, nourriture principale des hommes et des dieux, les premiers consomment la matérialité, et les seconds la *sari*, l'essence qui, bien que qualitative, n'échappe pas à la comptabilité qui préside à tout échange symbolique.

La culture du riz est devenue à la fois un culte et une matrice sociale; ses protagonistes sont autant les membres d'une congrégation religieuse que d'une coopérative agricole, à l'intersection desquelles le marché du riz trouve difficilement sa place. Les fruits de la première récolte vont en grande partie aux cérémonies et aux dons en nature aux personnes sacrées. Le surplus étant dépensé dans les rites et le nécessaire consommé, il ne reste pas grand-chose à échanger ou à vendre.

Avant d'entamer le travail, les *subak*, accompagnées de leurs prêtres, vont prier dans les temples auxquels elles sont toutes affiliées : Pura Besakih et Pura Batur. De fait, le lac qui emplit la vaste caldeira de volcan Batur est un château d'eau dont profitent de très nombreuses *subak*. La déesse Déwi Danu y est honorée par l'immersion d'offrandes. L'eau bénite obtenue dans ces lieux sacrés est rapportée dans le temple de la *subak*, puis versée dans le principal canal d'irrigation.

Les Balinais ont fait de Wisnu leur divinité des eaux, identifiant ainsi sa fonction médiatrice dans le panthéon avec la place médiane de l'eau dans l'échelle des éléments du cosmos. Bhatara Wisnu est lié à Dewi Sri, déesse du riz, et à Ibu Pertiwi, déesse-mère de la terre. Une troisième divinité féminine, archaïque et ambiguë, entre en jeu dans le cycle de la fécondité : Dewi Melanting, qui règne sur la vie des plantes, à la fois en dessous et en dessus du sol, et habite les temples protecteurs des marchés. Le début de l'irrigation est accompagné d'offrandes posées par terre et destinées à assouvir les démons.

Madé, assuré que sa femme n'avait pas oublié les offrandes à Dewi Sri, s'apprête à repiquer. Il entre dans sa *sawah* en portant sur un plateau cinq petites corbeilles votives surmontées d'un bâton d'encens. Il en dépose une au centre, et les autres aux quatre coins de la *sawah*. Il ventile la fumée des encens vers le ciel et s'adresse à la divinité :

« Reine divine, déesse-mère Pertiwi, je te demande humblement la permission de travailler ici aujourd'hui, dans cet endroit qui t'appartient, ô Reine !

« Je t'offre mes respects et mes salutations afin que le travail se fasse dans des conditions favorables pour moi. Reine divine, je te dédie ces offrandes. »

Madé noue une serviette éponge autour de son front et commence le repiquage selon le diagramme cosmique *nawa sanga*, les neuf points cardinaux. Il enfonce la première pousse au centre de la *sawah*, puis une autre à l'est, au sud, à l'ouest, au nord, au nord-est, au sud-est, au sud-ouest et finalement au nord-ouest. Il plante les pousses suivantes en ligne, avec un écartement correspondant à la mesure d'une main.

Quelque trois mois plus tard, avec l'apparition des premiers grains verts, les plantes sont « enceintes ». La *sawah* reçoit alors les mêmes offrandes que celles dont bénéficie une femme prégnante : des fruits verts, des œufs et des fleurs. Pour scander plus fortement encore ce stade de la fécondité, l'agriculteur confectionne une figurine en palmes découpées, représentant une femme ornée d'un phallus. Il l'exhibe en proférant par trois fois une formule de cette sorte : *« Psu, psu, jero, mabalih loh mabutuh ! »* (Dehors, dehors, vous, regardez la femme au pénis !)

Le riz mûr dévale les marches géantes des collines en un océan d'or. Chaque propriétaire vient couper une gerbe « mâle », une « femelle », et les lie ensemble à un bambou fiché dans le sol : c'est *Nini Pantun*, la « grand-mère protectrice du riz ».

Les moissonneuses disparaissent sous leurs larges chapeaux ronds. A l'aide de la lame insérée dans le petit cheval de bois qu'elles tiennent dans leur main droite, elles coupent les épis qu'elles rassemblent du bras gauche, et avancent en ligne, broutant les gerbes comme un troupeau de chevaux affamés.

Pendant ce temps, sous un grand préau élevé devant le temple, les hommes sont pris par la fièvre du *tajèn*, combat de coqs. Chaque Balinais adulte possède au moins un coq qu'il cajole, compare à celui des voisins et entraîne depuis des mois. Il déplace la cage de son héros plusieurs fois par jour : « Est-elle trop à l'ombre, trop au soleil ? » A la période des chaleurs, la partie inférieure de la cage est retirée, afin que le coq fasse un trou dans la terre pour se rafraîchir. Chacun détient d'un aïeul ou d'un *dukun*, un magicien, des recettes de nourriture qui le rendront infaillible. Leur journée de travail terminée, les hommes les délivrent, leur soufflent dans le bec, les font rebondir sur leurs pattes, surveillent leurs yeux et leurs plumes, leur manipulent les muscles des pattes au cours de longues séances collectives, cérémonials appelés *megécel*.

Le coq, c'est la virilité du Balinais, mais c'est aussi le moyen de transgresser les fortunes individuelles : l'esclave peut ruiner le maître. Le gouvernement réglemente ou interdit périodiquement ces *tajèn*, où l'argent s'échange sans contrôle. Les femmes n'y participent jamais, car elles s'évanouiraient, non à la vue du sang, mais à celle des billets qui sortent des poches de leur mari.

Le *tajèn*, c'est également un sacrifice, par lequel s'étanche la soif des *bhuta kala*, démons destructeurs, ainsi que celle des hommes.

La poussière et les plumes montent de l'aire en terre battue. Des gradins, la foule observe les bêtes brandies à bout de bras par leur propriétaire. Un arbitre siège à côté des offrandes, avec, à portée de la main, un *gong* et une *ganji*, chronomètre balinais : une demi-écorce de noix de coco percée qui s'enfonce lentement dans un bassin d'eau. De chaque côté de l'arène, deux « managers » se font face, exhibant leur candidat dont l'ergot est prolongé d'une fine lame d'acier. Les parieurs commencent à crier le nom de leur préféré :

« *Putih ! putih ! putih !* (le blanc ! le blanc ! le blanc !).

— *Ijo ! ijo ! ijo !* (le vert ! le vert ! le vert !). »

Les paris étant pris, les bêtes sont lâchées au coup de *gong*. La *ganji* s'enfonce dans l'eau; le silence est total. Bec à bec, les plumes du cou hérissées, les deux coqs sont figés. En un éclair, ils se percutent et retombent sur leurs pattes. Un soupir est poussé à l'unisson par des centaines de poitrines. Ils se font face à nouveau, dans le silence des respirations qui se retiennent. Le duel est parfois bref, un combattant malchanceux étant percé au cœur. Dans le cas où aucun coup fatal n'a été porté au bout de trois « rounds », les deux coqs sont mis au centre de l'arène sous une cage étroite, où l'issue ne se fait plus attendre.

Chaque *subak* entretient différents sanctuaires; les plus modestes, simples autels sans protection, ne sont pas à proprement parler des *pura*, des temples, et ne requièrent pas l'intervention des *pemangku*, ou officiants. Des plus petits aux plus grands, les sanctuaires sont honorés les uns après les autres, selon un rythme mensuel qui ne tient pas compte de l'état variable des cultures. Tous les deux cent dix jours, après un cycle complet de l'année balinaise, les *pura* les plus importants accueillent tous les fidèles en une fête sacrée qui tombe, si possible, en même temps qu'une moisson générale. En alternance, les cérémonies sont de type *nista*, bas, ou *utama*, haut. L'inférieure, particulièrement dédiée aux démons, se déroule de préférence à la lune morte; la supérieure, orientée vers l'univers céleste, a lieu plutôt à la pleine lune, et prend le nom de *ngusaba*.

A l'occasion de *ngusaba*, la *subak* s'affaire dans son temple, et prépare les cérémonies succédant à une abondante moisson.

De longues oriflammes blanches, rouges, noires et jaunes, frémissent au vent dans les *sawah* et devant le temple, pour honorer la fertilité de la divine grand-mère, *Ngusaba Nini*. Les gerbes symboliques sont habillées de feuilles de palmier tressées, de tissus blancs, et ornées d'une couronne fleurie. Elles sont amenées en procession dans le temple, suivies d'un orchestre itinérant composé de percussions de bronze, dont les exécutants font à la fois partie de la *subak* et du club de musique local.

Une fois bénies par les *pemangku*, les figurines pleines de riz vont rejoindre les greniers de chaque demeure.

Peu après, tous les épis sont rapportés des champs et étalés sur la place du village pour un premier écossage. Les femmes se rassemblent pour pilonner le riz, faisant rebondir un long bambou sonore qu'elles jettent d'une main et rattrapent de l'autre, dans un balancement régulier des bras : *« Kin tang kin tung kin tang kin tung, Megaé ajak lin demen dogen hati é ! »* dit l'une d'elles en riant aux éclats (travailler en groupe, ça rend toujours le cœur joyeux !) Les grands-parents écartent les enfants nus, pour les préserver des démangeaisons que provoquent les écosses réduites en poudre.

Les femmes en sueur commencent à enlever leur chemise. Les hommes sont attirés par le rythme des bambous, les seins dont les pointes se relèvent et les dos ruisselants des femmes les plus jeunes.

L'association des jeunes musiciens de *jogèd bumbung* a obtenu l'autorisation d'animer des danses avec l'association des moissonneuses. Les musiciens portent une chemise neuve à l'insigne du club, achetée à l'aide de la caisse commune, et ils installent sur le sol leurs instruments, tubes de bambou ouverts en casquette et suspendus sur des châssis de bois peints. Les flûtistes attaquent à l'unisson la mélodie d'introduction du *jogèd bumbung,* selon une échelle virile et fière, qui divise l'octave en cinq parties presque égales. Sur leur tête, la coiffe se dresse, comme la crête d'un coq prêt au défi. Les deux tambours donnent le signal qui fait démarrer le tempo, suivis de tous les xylophones.

Une première danseuse s'avance sur la place; fatiguée par les travaux des champs et les préparations d'offrandes effectuées jusqu'à une heure tardive, les nuits précédentes, elle n'a pas eu le temps d'emprunter un beau *kain prada,* tissu peint à l'or, comme en portent les vraies danseuses. Cependant, dès qu'elle déplie l'éventail dans sa main droite, que ses prunelles se fendent et que sa taille se creuse, tous les regards masculins la fixent. La foule se resserre autour de la piste et les plus hardis s'assoient au premier rang.

Elle avance à pas serrés, fait plusieurs tours en jetant des regards de côté, et frappe l'épaule d'un garçon avec son éventail. L'assistance crie de joie, le garçon se lève, poussé par ses camarades, et commence à danser face à sa partenaire. Il tente de s'approcher d'elle, mais elle le repousse adroitement avec son éventail. Au morceau suivant, une autre danseuse prend le relais. Qui va-t-elle choisir ?

Le *jogèd bumbung* est périodiquement interdit à cause des bagarres qu'il provoque parmi les adolescents. Dans le Nord de Bali, il est cependant devenu une réjouissance organisée : les danseuses sont professionnelles; les candidats à la séduction payent leur place et sont tirés au sort d'après le numéro de leur billet.

De petits spectacles, du genre *godogan,* histoires de grenouilles, accompagnent aussi les réjouissances, lors des bonnes récoltes. La musique est assez semblable à celle du *joged bumbung,* mais les instruments sont différents : en majorité des guimbardes en écorce de palmier qui imitent les timbres et les rythmes syncopés des batraciens, hôtes vivaces des *sawah.* Les guimbardes accompagnent les métamorphoses du dieu Wisnu, qui prend l'aspect d'une grenouille pour descendre sur terre et séduire une princesse balinaise. La belle et la bête, au grand plaisir des enfants, jouent le mythe joyeux de l'eau fécondant la terre généreuse.

Les cérémonies continuent dans le temple de la *subak,* où chaque famille, selon sa fortune ou ses prétentions, vient prouver sa ferveur envers les dieux de l'agriculture en prenant en charge une part plus ou moins importante des offrandes, rétributions, dons en nature et dépenses diverses que réclame le rituel.

Au même titre que les prières, la fumée des encens, l'eau sacrée ou le parfum des fleurs que les *pemangku* consacrent, le théâtre d'ombres *wayang kulit* a droit de cité dans le temple.

Les deux personnages les plus populaires, le *sudra* Malèn et son fils Merdah, s'apprêtent, sur l'ordre de leurs maîtres, à partir en reconnaissance dans un pays où la religion balinaise n'existe pas :

Malèn : « Sais-tu que là-bas il n'y a pas de temples, pas d'autels pour les ancêtres ? La vie doit être facile ! Ici, avec tous les temples, les cérémonies, les crémations... ça coûte beaucoup d'argent ! Sur la route qui mène à ce royaume-là, il paraît qu'il n'y a pas un seul sanctuaire, alors qu'ici on en compte un tous les dix mètres ! et de toute catégorie : pour les rizières, pour les cimetières... Là-bas, il n'y a même pas de *dugul !* (*bedugul,* autel dans les rizières). S'il n'y a pas de temples, il n'y a peut-être pas de cérémonies... »

Merdah : « Mais c'est évident, voyons, puisqu'il n'y a pas de temples... »

Malèn : « Ce n'est pas comme ici ! Un mois avant la cérémonie, il faut déjà se soucier de l'état de ses finances, car la dépense est obligatoire ! Si l'on n'a pas d'argent, où faut-il aller pour en trouver ? A l'assemblée du village, où l'on doit emprunter. Une semaine plus tard, on paye deux ou trois fois plus encore, avec les intérêts ! Et puis, il faut porter un chapeau neuf, un sarung neuf, une écharpe neuve... »

Merdah : « La seule chose que j'aime vraiment, dans tout ça, c'est qu'il faut tuer un tas de cochons ! »

La *subak,* prévoyant que la moisson serait une réussite, s'est lancée dans l'organisation d'un grand spectacle de clôture, avec l'aide des *banjar* et des associations locales. Depuis un mois, les troncs d'arbres évidés *kulkul* n'ont pas arrêté de sonner les rassemblements.

Les clubs de jeunes gens et jeunes filles ont obtenu la permission d'installer un bar sous le préau de réunion et de barrer la route à cent mètres avant le village afin d'aménager un parking payant pour les vélos et cyclomoteurs. Leurs clubs pourront garder les recettes, mais ils s'engagent à exécuter les décorations en feuilles de cocotier, qui orneront le vaste théâtre de plein air, construit devant le temple à cette occasion.

Les hommes âgés choisissent et coupent les bambous; les plus jeunes les aident à monter l'armature et la scène de l'édifice provisoire. Le soir de la représentation, ils auront droit à un repas, et à des chiques de bétel à volonté. Dix hommes se proposent de faire office de *tukang lampu,* responsables des lampes à kérosène, qu'il leur faudra entretenir pendant toute la durée du spectacle. En contrepartie, ils consommeront autant de café qu'ils le désirent, de cinq heures du soir à cinq heures du matin.

Les femmes qui ont tressé les nattes de protection des coulisses et de la scène peuvent installer leurs boutiques-restaurants sur les meilleurs emplacements, au plus près des spectateurs. Les villages d'alentour ont été prévenus, et les organisateurs espèrent qu'il y aura *ramé,* une ambiance de fête avec un public nombreux et chaleureux. Les bénéfices de la billetterie seront répartis entre la *subak* et les diverses associations.

Les responsables ont invité la troupe d'opéra Arja Bon Bali, qui réunit toutes les vedettes d'art lyrique de l'île.

La précédente représentation de théâtre masqué avait surtout captivé le public masculin. Cette fois, les romances chantées de l'*arja* parleront plutôt à la sensibilité des Balinaises. Les livrets de l'*arja* sont tirés des épopées Malat, version balinaise du cycle du roi Panji, héros javanais légendaire dont la popularité toucha Bali à l'époque de l'empire Majapahit, au XIVe siècle. Les thèmes les plus romanesques de l'*arja* sont empruntés au Tantri, littérature hindo-javanaise semblable aux *Mille et Une Nuits*.

Les personnages de l'*arja* sont très conventionnels et se reconnaissent, dès leur entrée, par un ensemble de caractères : costume, voix, gestuelle.

La typologie est toujours la même : princesse et sa servante, reine et ses suivantes, rois, princes et serviteurs, mais les situations sont différentes et les interprétations chaque fois nouvelles, car le spectacle ne s'appuie sur aucune partition, livret écrit ou scénographie. Cependant, la tradition orale a codifié avec soin le style de l'*arja*, dont les interprètes, à la fois acteurs, chanteurs et danseurs, sont nécessairement des virtuoses dignes d'un art de cour, même s'ils trouvent leur soutien le plus fervent auprès du public populaire des villageoises.

La quinzaine d'actrices et d'acteurs débarquent d'un vieux camion, suivis de leurs apprentis et accessoiristes, les bras chargés de paniers pleins de costumes. Les notables les accueillent, les invitent à partager leur repas. Les villageois vont et viennent, paradent, font *melali*.

Les femmes se rassemblent, apparemment satisfaites de s'asseoir sur des chaises, à la manière occidentale. Elles ont décoré leur chignon de bouquets de feuilles d'or. Leurs chemisiers aux couleurs vives, presque fluorescentes, sont ajustés par des épingles de sûreté. Une longue pièce de *batik*, tenue à la taille par une écharpe brodée de fil métallique, s'enroule autour de leurs hanches et tombe jusqu'aux chevilles. Elles sont chaussées de sandales de plage bon marché, résistantes à l'eau, et dont la semelle est plus tendre que la corne des pieds.

De leur côté, les hommes sont vêtus d'un *sarung*, fixé à la taille par une large écharpe. Par devant, le drapé traîne presque par terre. Parfois, l'un d'eux rajuste sa coiffe. Il entoure deux fois sa tête d'un long triangle de tissu dont la pointe reste dressée au-dessus du front. Puis, d'un doigt très sûr, il réduit cette crête, l'amène sur le côté et l'incline pour lui ôter son caractère trop agressif.

A la différence des plus âgés, qui serrent leur poitrine dans l'étoffe traditionnelle, les jeunes portent volontiers une chemise taillée à l'européenne dans un tissu aux motifs exotiques. Chacun arbore ses bagues, sa montre et ses lunettes, s'il en possède.

La fumée des cigarettes au clou de girofle s'élève au-dessus des conversations et des rires.

La troupe se prépare dans l'arrière-scène qui fait office de coulisse. Le public se presse derrière les fragiles panneaux de protection, pour participer à la magie des métamorphoses.

Acteurs et actrices, assis sur des nattes, se maquillent mutuellement, échangent les derniers potins. Les jeunes assistantes s'affairent devant des paniers pleins de fleurs odorantes et nacrées de frangipanier, fendent les pétales pour en doubler le nombre, et enfilent les fleurs sur les fils de fer qui surmontent les coiffes en cuir doré. Les organisateurs apportent des plateaux chargés de gâteaux, cigarettes parfumées, chiques de bétel, verres de café et de thé...

Abandonnant les conversations quotidiennes, le vieux récitant *penasar*, le plus expérimenté de la troupe en matière de littérature, propose à ses partenaires de jouer l'histoire de Madé Abian, héros qui apparaît d'abord comme un *sudra* de la plus basse condition pour se révéler plus tard un prince injustement écarté du pouvoir. Il finit par reprendre sa place et épouse la fille d'un roi. Tous les acteurs acquiescent et se remémorent ensemble les épisodes principaux de cette romance, le nom et les caractères de chaque personnage.

Les offrandes faites, le spectacle peut commencer. Il est dix heures du soir; il se terminera à quatre heures du matin. Les acteurs professionnels recevront chacun un cachet d'une cinquantaine de francs. Dehors, les haut-parleurs de fortune grésillent des remerciements à la *subak*, aux *banjar*, aux associations locales.

Les cinq cents chaises empruntées à toutes les écoles et administrations de la région sont déjà prises, en majorité par des femmes qui tiennent des enfants sur leurs genoux. Les jeunes de cinq à dix ans, trop grands ou trop petits pour louer une place ou profiter de celle de quelqu'un, s'agglutinent dans les passages et au bord de la scène. La foule reste debout tout autour des places assises. Les adolescents les plus hardis se rapprochent des groupes de jeunes filles. En cas de bousculade, ils seront mis en contact avec elles, de manière non répréhensible puisque involontaire. Les mères avisées tiennent boutique non loin de là, en compagnie de leur fille à marier. Pour entreprendre cette dernière, les jeunes gens sont obligés de s'attabler, de consommer, et la mère peut écouter en n'ayant l'air de rien.

Les applaudissements crépitent : le *seka gong*, club de musique local, vient de monter de chaque côté de la scène et ses membres prennent place derrière leurs métallophones. Les tambours s'accordent. Au fond, le décor unique, une toile peinte, représente le portail monumental fendu par lequel on accède au temple. Le centre, seule entrée et sortie des acteurs, est fermé par un double rideau en tissu à fleurs.

Après l'ouverture instrumentale, le public guette le rideau de scène. Une main l'agrippe par-derrière et l'agite : nul n'ignore que c'est la *condong*, la servante, qui va faire son entrée. Une voix aiguë, aigrelette, très ornée et falsetto, se fait entendre; une main frémissante apparaît, suivie d'un visage figé.

Le charme de l'*arja* paralyse la foule. Les longs récitatifs chantés en langue savante s'interrompent, danse et musique se suspendent, la *condong* vient vers l'avant-scène, baisse la tête, se frappe la cuisse et commence, d'une voix désespérée, à conter l'histoire de ce jeune palefrenier dont on ne sait l'origine, qui joue divinement de la flûte, mais a l'air si malheureux. Les femmes s'émeuvent, les hommes commentent entre eux le style du chant et de la danse de la *condong*, les enfants s'endorment, sachant qu'ils se réveilleront plus tard au moment des combats et des passages comiques.

Quand Madé Abian apparaît, pauvre, maigre, et confesse qu'il en est réduit à aller de porte en porte avec sa flûte, la servante se met à pleurer, dispersant d'un geste de la main ses larmes en arc de cercle sur le premier rang de spectateurs. Le public entier sanglote. Derrière le rideau, les acteurs sentent qu'ils doivent changer l'ambiance sans tarder.

Les deux *penasar*, Punta et Kartala, font leur entrée grotesque sur la scène. Dans le théâtre balinais, leur fonction essentielle consiste à traduire en langage courant les paroles que chantent leurs maîtres en archaïque langue de cour. En leur absence, les spectacles se réduiraient à des drames ésotériques, c'est pourquoi ils sont tant appréciés du public qui les attend avec impatience et s'amuse de leurs pantomimes avant même qu'ils ouvrent la bouche. Les *penasar* ne se bornent pas à interpréter ni à commenter; ils s'éloignent souvent de l'intrigue pour se lancer dans des improvisations sur les problèmes actuels de Bali. Seuls les acteurs chevronnés se chargent de ces rôles qui réclament autant d'érudition que de finesse d'esprit. A la ville comme à la campagne, le public fait corps avec les *penasar*. Ils représentent l'humour débridé et fécondateur, codifié dans le style le plus parfait. Les Balinais admettent de leur part toutes les plaisanteries à propos de sexe, de politique ou de religion. Hors du cadre divin de la scène, certains, moins inspirés qu'eux, recevraient des volées de pierre pour oser prendre tant de liberté.

Punta s'avance, les yeux ronds, le nez épais et la moustache hirsute. Kartala le suit, yeux en amande, nez pointu et sourire rusé. A l'instant où le *gamelan* s'arrête, Punta se fige, se retourne et jette un œil suspicieux sur Kartala qui continue à gesticuler, à quelques pas derrière lui.

Punta : « Alors, petit frère, tu ne me suis pas ? »

Kartala : « Si je te suis toujours, personne ne nous arrêtera. »

Punta : « C'est moi qui fais tout ici. Je travaille, donc tu n'as pas besoin de te mettre en peine, je le fais pour toi. »

Kartala : « Mais alors, si tu passes ton temps à faire l'amour, et que je suis ton exemple, nous allons remplir la terre d'enfants ! »

Punta : « Moi, je travaille, donc je mange. Mais toi, paresseux comme tu es, tu n'as rien à te mettre sous la dent. A mon avis, c'est pour cette raison que la terre n'est pas encore pleine. »

Kartala : « Oui, tu dis vrai; les gens survivent parce qu'ils travaillent, ce qui ne les empêche pas d'acheter des contraceptifs, sinon la terre serait pleine quand même. »

Punta : « Tais-toi, petit frère ! »

Kartala, en chantant : « Ne t'imagine pas que c'est en parlant durement que notre roi va l'emporter sur son rival, car c'est en restant souple que l'on ne rompt pas. »

Punta : « Sais-tu que Madé Abian a trouvé une place aux écuries du palais, et que le chant de sa flûte a déjà séduit les deux filles du roi ? »

Kartala : « Absolument; pour lui, tout va pour le mieux. Je peux même te rapporter la conversation que j'ai pu surprendre entre nos deux princesses, à la porte des écuries. »

Il se racle la gorge, et s'apprête à imiter tour à tour les voix des deux jeunes filles : « Liku : "Que fais-tu près de l'écurie ? Je te cherche partout sans te trouver !"

Galuh : "C'est que j'aime écouter la flûte de ce palefrenier..."

Liku : "Comment ? c'est le son d'un morceau de bambou qui t'affole comme ça ! Attends, je veux écouter moi aussi..." (Elle tombe en pâmoison).

Galuh : "Bon ! Ça suffit maintenant ! Partons ! C'est bien toi qui me disais tout à l'heure que tu n'avais rien à faire du son d'un vulgaire morceau de bambou ?" »

La foule qui pleurait est maintenant hilare; la métaphore sexuelle de la « flûte » a dissipé la compassion pour Madé Abian.

Avant la fin de l'*arja*, tous les publics seront comblés, jeunes et vieux, féminins et masculins, raffinés et vulgaires, du moins tous ceux qui auront eu l'endurance nécessaire pour suivre le spectacle jusqu'à l'aube, après deux semaines de moissons et de festivités.

Côté coulisse, les acteurs qui ne jouent pas dorment tout habillés, serrés les uns contre les autres, rêvant de Madé Abian, avant d'entrer à nouveau sur scène.

Madé Abian, héros populaire par excellence, représente dans l'imaginaire balinais l'apogée d'un destin. Il traverse toutes les fonctions et les castes, jouissant des prérogatives de chacune : *sudra* par injustice, il devient la fécondité; palefrenier par vocation, il rejoint les *wésia*, éleveurs; *kasatria* de naissance, il est couronné roi.

La sagesse dont il fait preuve pour parcourir ce chemin sans faillir le place au rang le plus haut, à l'égal d'un sage *brahmana*.

Le rite du *wayang kulit*

La lampe à huile, soleil rouge du *wayang kulit,* métamorphose l'écran en un ciel d'aurore ouvert sur la nuit, et fait luire le tronc de bananier étendu sur le sol, où les ancêtres divins sont invités à descendre. Le *dalang,* officiant du théâtre d'ombres, médiateur entre les dieux et les hommes, est assis derrière l'écran à droite du coffre où reposent les figures de cuir. Il prie, torse nu, le visage à peine protégé de la flamme flottante; il verse quelques gouttes d'alcool sur le sol, par respect pour les démons, asperge d'eau bénite les quatre directions de l'espace, et lance une fleur par dessus son épaule. Les musiciens entament le prélude, à l'allure héroïque et rapide; les voix des lames de bronze s'entrecroisent et se poursuivent, myriade de bulles cristallines qui éclatent à la surface du temps. Le *dalang* frappe trois fois le coffre du plat de sa main, afin d'éveiller l'esprit des marionnettes; il fait glisser le couvercle, et saisit le manche du *Kayonan (cf.* p. 93), figure de cuir ajouré représentant l'arbre de vie, dont les branches sont les nervures de l'univers. Le *Kayonan* danse entre la flamme et l'écran, se frotte, sensuel, sur la toile, ou la frappe avec véhémence, puis s'immobilise au centre, le manche pointu fiché dans l'écorce tendre du bananier. Les personnages apparaissent alors un à un avec lenteur, et vont se ranger de part et d'autre du *Kayonan,* à la droite ou à la gauche du *dalang,* selon qu'ils représentent des divinités positives ou négatives. La présentation terminée, le *dalang* retire l'un après l'autre les héros en commençant par ceux qui ne joueront qu'un rôle mineur. Quand le canevas de l'intrigue est emprunté à l'épopée Mahabharata, les personnages qui restent souvent seuls à droite du *Kayonan* sont Arjuna (*cf.* p. 69), archet et séducteur sans égal, fils d'Indra, roi des dieux, et Malèn (*cf.* p. 35), serviteur obèse, dont la voix caverneuse exprime le bon sens paysan; il suit fidèlement ses nobles maîtres, et sa popularité n'a rien à envier à la leur.
Le *Kayonan* s'envole le dernier; l'écran reste vide et le *dalang* se met alors à chanter : « O dieux ! Nous vous prions de venir à notre aide; donnez-moi l'autorisation d'officier ici. Faites pénétrer l'esprit dans les personnages, le juste dans les héros divins, le méchant dans les héros diaboliques. Protégez-nous, s'il vous plaît, au cas où une personne du public voudrait nous jeter un mauvais sort. »
Au cours des trois heures qui suivent, le *dalang* exerce ses talents de comédien, manipulateur, érudit, improvisateur aussi à l'aise dans la théologie que dans le comique populaire; il imite la voix de chaque personnage qu'il anime, et fait alterner les scènes dogmatiques et burlesques, les interventions merveilleuses et les combats. Quand la représentation se termine, toutes les silhouettes de cuir sont de nouveau exposées sur l'écran.
Le *dalang* met un point final au *wayang kulit* en faisant apparaître, tremblante derrière la ramure du *Kayonan,* l'ombre de Cintya (*cf.* p. 117), divinité magicienne de l'Inconcevable.

Page ci-contre : Malèn, figure de wayang kulit.

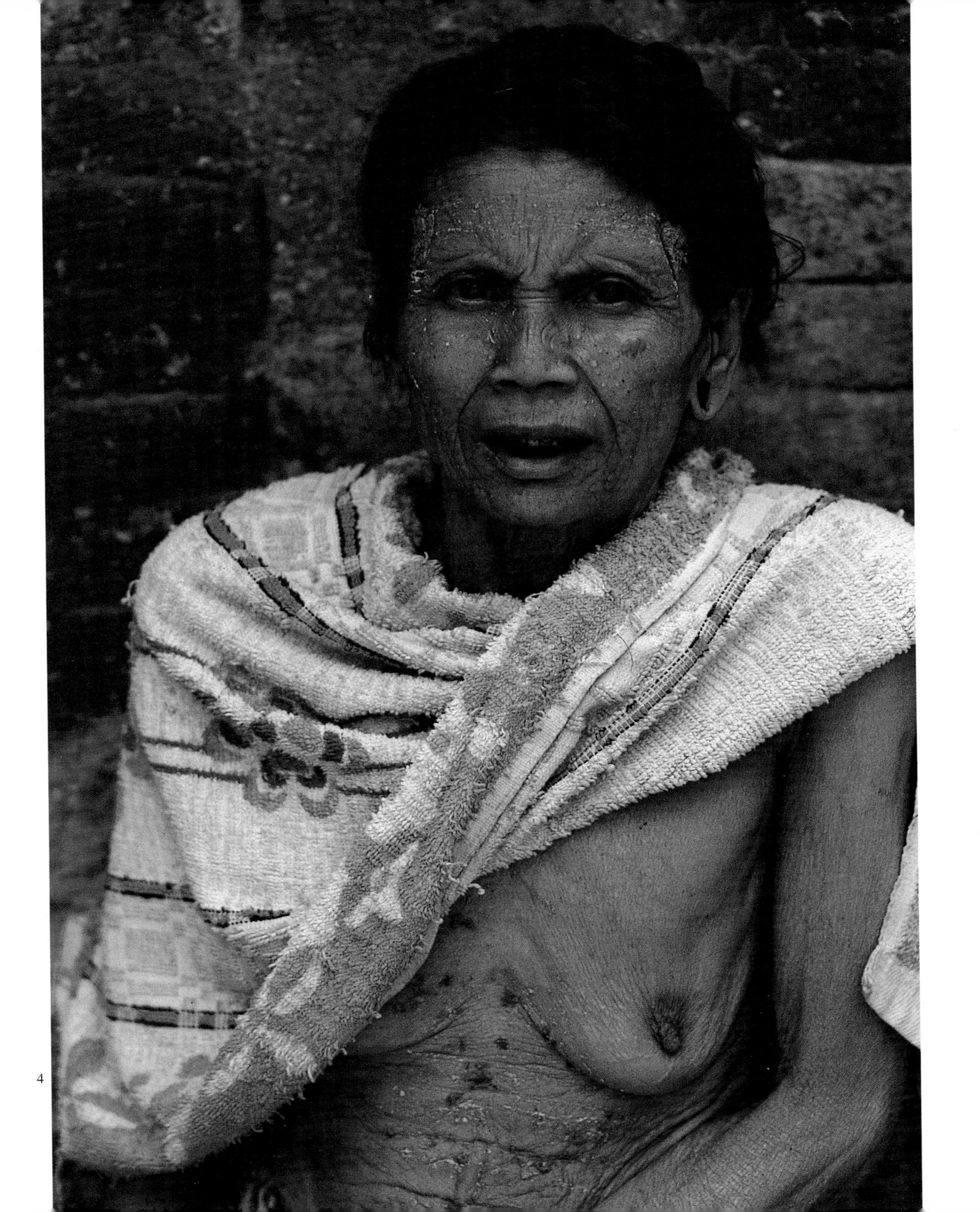

4

6

9

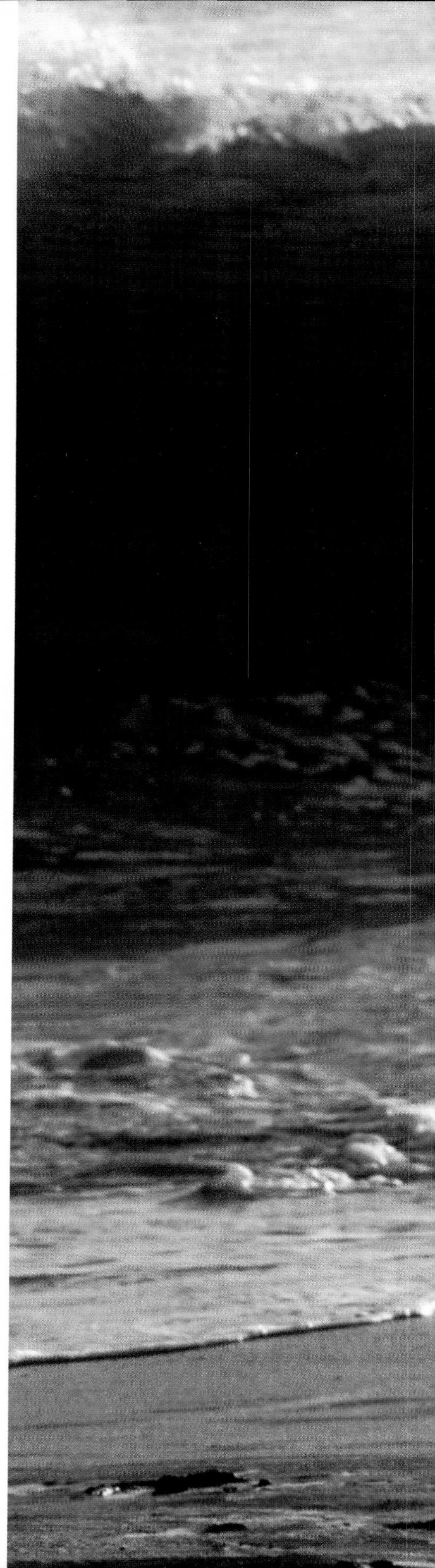

10

12

13

14

18

23

24

Légendes

1 Une voisine vient fumer une cigarette chez Déwa Nyoman Dadug à Batuan, 1979.

2 Deux « buffles d'eau », enfoncés dans la boue limoneuse, labourent en profondeur une *sawah,* rizière irriguée. Région de Bangli, 1973.

3 Paysan rentrant au village de Krobokan, 1978.

4 Une parente de I Madé Gerindem, le corps enduit de boue médicinale. Tegès, 1977.

5 Moisson collective des rizières en terrasses dans la région de Rendang, 1975.

6 Détail d'une scène de moisson, au milieu des épis de riz mûr. Batuan, 1977.

7 Femmes sur le seuil d'une demeure villageoise. Région de Tegalalang, 1979.

8 Spectatrices d'une répétition de danse *lègong.* Tegès, 1978.

9 Bain traditionnel à la rivière, le soir, dans la région de Gianyar, 1975.

10 Des enfants jouent au bord de l'océan, sur la plage de Kusamba, 1978.

11 Le jeune public se presse au premier rang, lors d'une représentation de l'épopée de Calon Arang. Sukawati, 1978.

12 Le *dalang,* manipulateur-récitant du théâtre d'ombres, officie derrière l'écran. La lampe à huile, suspendue devant son visage, symbolise le soleil, et projette l'ombre des figures de cuir ajouré sur la toile de coton blanc. *Dalang :* I Sérep, Batuan, 1979.

13 Déwa Madé Brentangan tient le rôle de *penasar,* récitant bouffon, dans la troupe de théâtre lyrique Arja Bon Bali. Il attend le moment de son entrée en scène. Belang, 1977.

14 Ni Wayan Ranten est *galuh,* princesse, dans la troupe Arja Bon Bali. Son maquillage terminé, elle s'apprête à se coiffer de la couronne de fleurs convenant à son personnage. Belang, 1977.

15 Déwa Nyoman Dadug joue de la *suling gambuh,* grande flûte qui accompagne le théâtre *gambuh.* Les flûtistes de Bali utilisent la technique du « souffle continu », ce qui leur permet de jouer de longues heures. Batuan, 1977.

16 Ni Madé Cenik, mère du danseur I Madé Jimat, chante et danse lors d'une représentation de théâtre lyrique, Batuan, 1977.

17 L'intérieur de la demeure de I Madé Gerindem, à Tegès, 1978.

18 Cérémonie *telubulanin,* initiation de l'enfant âgé de trois mois. Anak Agung Aji Raka, chef de famille et descendant des princes de Gianyar, remplace le *pemangku,* officiant, pour déposer l'eau bénite dans les mains de ses enfants en prière. Tampaksiring, 1978.

19 Deux jeunes filles se sèchent après le bain, dans la cour d'une maison de Batuan, 1979.

20 Sourire dans la demeure de Pemangku Gedé à Ketéwèl, 1977.

21 Paysan s'amusant devant un objectif photographique. 1973.

22 Le manipulateur exhibe le coq, armé d'un *taji,* fine lame d'acier, afin que les parieurs jugent de ses chances pour le combat imminent. Mas, 1977.

23 Le propriétaire du coq insuffle son énergie à l'animal avant le duel. Sangsi, 1979.

24 Déwa Madé Ketut se repose, après avoir joué le rôle du héros Tumenggung, au cours d'une représentation de théâtre *gambuh,* au palais de Batuan, 1977.

1

Les deux *penasar,* Punta et Kartala, récitants de théâtre masqué, sont serviteurs au palais. Ils attendent l'entrée en scène de leur roi.

Kartala : « Il est facile de gouverner quand les habitants vivent en bonne entente. Si le roi est un dévoyé et qu'il organise sans arrêt des combats de coqs, le peuple suit son exemple; les gens deviennent voleurs. Ici tout est en ordre; notre roi gouverne avec justice. »

Punta : « Et maintenant, petit frère, qui va appeler notre souverain pour lui annoncer que ses ministres l'attendent ? »

Kartala : « Euh ! Eh bien... Il vaut mieux que ce soit toi; tu es l'aîné... »

Punta et Kartala se tournent vers le rideau que le personnage du roi commence à agiter. Ils mettent un genou à terre et prennent la posture de la soumission : main gauche soutenant le bras droit tendu, poing fermé, paume vers le ciel, pouce vers l'extérieur.

Punta chante, dans la langue la plus déférente : « S'il vous plaît, Majesté immense et divine, lumière qui éclaire le royaume, vos ministres vous attendent sous le préau du conseil. Sortez, s'il vous plaît, et veuillez les consulter. »

Les premiers navigateurs occidentaux qui abordent Bali à la fin du XVIe siècle croient retrouver l'Inde qu'ils viennent de quitter. Des *Raja* les accueillent sur des chars à buffles, abrités de parasols; ils prétendent descendre des divinités hindoues et consomment de la viande de porc. Les derniers royaumes hindouisés ont cependant disparu de l'archipel au XIVe siècle, cédant la place aux sultanats.

Jusqu'au XXe siècle, l'État balinais semble appliquer à la lettre les préceptes de l'âge védique : les souverains, issus de la caste *kasatria* ainsi que leurs ministres, suivent les conseils de leurs prêtres de caste *brahmana* et s'entourent d'intendants de la caste *wésia.* Le peuple, grande majorité des Balinais, se compose d'agriculteurs *sudra.*

Mais la réalité est toujours un peu différente du monde des rêves, même de ceux qui durent dix siècles. Dans les années 50, alors que la légitimité politique des castes balinaises est mise en doute par la jeune République indonésienne, les chercheurs occidentaux s'interrogent sur leur légitimité sociologique : Bali ferait partie intégrante de la civilisation du Pacifique; son hindouisme ne serait qu'un leurre.

reflets de la cour : la fête des héros

Nehru a dit de Bali : « J'y vois l'Inde partout mais ne la reconnais nulle part. » Un visiteur du Viêt-nam ou d'Hawaii aurait pu faire la même constatation en comparant sa culture à celle de Bali.

Il est vrai que les castes balinaises qui se parent du terme sanskrit de *warna,* couleurs, n'ont pas suivi le destin de celles de l'Inde : leurs fonctions sont spécifiques, mais pas exclusives; leur formalisme, parfois pompeux, ne les empêche pas de cohabiter avec toutes les catégories de la population; les intouchables n'existent pas.

Depuis l'époque des mégalithes, la société balinaise s'est différenciée et hiérarchisée en groupes à ancêtres communs.

Les castes ont peu à peu émergé au contact du système politico-religieux indien, qui séduisait les chefs locaux. C'est parmi ces derniers que les trois *warna,* castes balinaises supérieures, pourraient chercher leurs ancêtres véritables.

Si toutes ces castes et congrégations ne formaient qu'un faisceau de descendances linéaires, la société de Bali serait stagnante et morne. Dans la réalité, le système des titres suscite une compétition généralisée. Une femme *sudra,* du peuple, en épousant un noble, donne naissance à une lignée intermédiaire qui, éventuellement, peut faire valoir ses droits à la souveraineté.

Quand les alliances, les changements de résidence, d'affiliation religieuse, ou toute autre stratégie légale ne réussissent pas à dynamiser le réseau des familles politiques, les divinités elles-mêmes s'en chargent; elles désignent, par quelque signe tangible, un nouveau détenteur du pouvoir.

Les *warna,* malgré toutes les particularités qui les rendent peu conformes aux modèles indiens qu'elles prétendent parfois incarner, ont légiféré Bali durant dix siècles. Grâce aux cours royales, elles ont élevé la société audessus de l'ordre économico-politique restreint auquel auraient abouti les seules autarcies villageoises. Les agriculteurs balinais leur doivent la défense de leur territoire, la régulation, à l'échelle des royaumes, des sociétés d'irrigation qui leur sont indispensables.

La mission suprême de l'aristocratie indo-balinaise est de servir de miroir à une société qui, sans elle, n'aurait pas accédé au stade esthétique.

Les premiers édits royaux, datés du Xe siècle, sont rédigés en vieux balinais mêlé de termes sanskrits.

L'hindouisation de la Cour ne dépend pas encore de l'influence javanaise. Cette dynastie des Warmadéwa se considère déjà comme une lignée de purs *kasatria,* héritiers des héros de l'épopée indienne Mahabharata. Dans sa version balinaise, cet immense texte épique sert de canevas aux spectacles de théâtre d'ombre, que la majorité de la population préfère encore au cinéma.

Satiaki (premier ministre de Krisna) : « Majesté, j'aimerais être en première position, au combat. Avant que nous soyons tous morts, ce n'est pas la peine de vous y risquer ! »

Dharma Wangsa (régent, aîné des Pandawa) : « Je t'en prie, va au front, petit frère ! »

Malèn (serviteur), d'une voix tremblante : « Le royaume ennemi n'est pas loin, mon prince. » (A part, à son fils Merdah : « Pourquoi donc les *kasatria* aiment-ils tant se battre ! »

Merdah énonce une longue sentence en langue savante, tellement vite qu'elle en est incompréhensible.

Malèn essaye d'imiter son charabia : « Mais quelle langue parles-tu ? Je n'ai rien compris. »

Merdah, en balinais courant : « "On peut toujours perdre la vie. Pourquoi y prendre garde ? Elle est dans la main des dieux; le nom ne se perd pas". Voilà pourquoi les *kasatria* aiment la guerre : le nom est éternel. »

Malèn : « Je ne comprends pas ! »

Merdah : « Le nom reste ! Par exemple le "Oh ! Malen est mort. C'était le bon serviteur d'un bon roi; son nom ne sera jamais oublié". Le corps est bien mort, on n'oublie pas le nom. »

Malèn : « J'ai compris ! "Oh ! Un tel est mort ! il était mauvais ! Son nom reste, on s'en souviendra". Qu'est-ce que tu penses de ça ? »

Merdah, d'un ton désespéré : « Pourquoi es-tu si bête ? Toi qui es depuis si longtemps serviteur et compagnon des nobles Pandawa, comment se fait-il que tu ne connaisses pas encore la différence entre ce qui est bien et ce qui est mal ? »

Malèn : « Tiens, voici mon mouchoir pour éponger tes pleurs. »

Au XIe siècle, le roi Udayana inaugure par son mariage les relations avec les royaumes orientaux de Java. Les alliances alternent avec les campagnes militaires jusqu'au milieu du XIVe siècle. Le conquérant Gajah Mada soumet alors définitivement les souverains de Bali. Les États hindouistes de Java-Est, derniers bastions de l'empire Majapahit, disparaissent devant la progression de l'Islam. C'est dans le cadre étroit de l'île de Bali que se poursuit le destin de cet empire. Les quelques *Raja* qui s'installent à Gèlgèl, non loin de l'actuelle ville de Klungkung, se heurtent à l'aristocratie locale qui, depuis plusieurs siècles, amalgame à sa manière les religions brahmaniste et bouddhiste. La dynastie de Gèlgèl voit ses propres membres entrer en conflit pour se partager l'île : son histoire sera aussi zigzagante que la course de son effigie, le daim Majangan Seluwung, que l'on admire aujourd'hui dans les demeures et les temples de ses descendants. A la fin du XVIIe siècle, Bali se divise en huit royaumes. De 1743 à 1814, les compagnies commerciales néerlandaises traitent sporadiquement avec les souverains balinais; ils n'ont guère à fournir que de l'opium et quelques prisonniers de guerre. Après la révolte du *Raja* de Bulèlèng, royaume septentrional, contre le gouverneur général batave, les relations s'interrompent jusqu'en 1846, date à laquelle elles reprennent de plus belle, sous forme de protectorat. Les fonctionnaires de la Compagnie des Indes néerlandaises s'appuient sur l'aristocratie balinaise : ils laissent la caste *brahmana* poursuivre sa carrière cléricale, tentent de séduire les *kasatria,* souverains et guerriers, ainsi que les *wésia.* Suivant ses attributions fonctionnelles, la caste *wésia* pourrait donner naissance à une bourgeoisie terrienne ou commerçante, mais elle prend à Bali un tout autre profil en renforçant la caste *kasatria* dans ses tâches militaires. Les familles *wésia* se développent dans le royaume méridional de Badung, et assurent même la régence dans celui de Tabanan, à l'ouest. Les Hollandais, afin de mieux contrôler Bali, veulent substituer leur découpage administratif à celui que les *Raja* ont opéré à travers leurs huit royaumes.

Cependant les cours princières refusent passivement de collaborer : elles se révèlent tout aussi « balinaises » que les populations laborieuses que les colons croient pouvoir asservir par leur intermédiaire.

Leurs coutumes aristocratiques : la polygamie, le sacrifice des veuves sur le bûcher funéraire de leur mari, et surtout l'habitude de dilapider rituellement les biens plutôt que de les exploiter, exaspèrent les résidents occidentaux qui accentuent leur pression, au début du siècle.

Le drame éclate en 1906, avec le naufrage d'un navire de commerce, dont la population côtière recueille les marchandises. Les Hollandais accusent le *Raja* de Badung de cautionner un vol. C'est plus que n'en peut supporter la fierté blessée d'un *Raja* de Bali.

Le *Raja* prie, entouré de ses guerriers d'élite, dans le *pamerajan,* temple des ancêtres du palais. Le vieux prince de Pamecutan est venu lui aussi avec ses fidèles, suivi d'autres *kasatria* qui ne peuvent plus vivre dans la honte. Le premier boulet de canon ébranle les murs du palais sans interrompre les psalmodies. La flotte hollandaise approche des côtes de Sanur; l'artillerie et les fantassins arrivent par la route du nord et encerclent le palais.

Personne ne répond aux sommations : le *Raja* a décidé de faire *puputan,* aller jusqu'à la fin. Les murs s'effondrent un à un dans la poussière et la fumée des encens.

La troupe hollandaise postée devant la porte principale voit enfin sortir les rebelles en procession : guerriers dans leurs habits d'or ciselé, brandissant les *tumbak,* les lances sacrées; princes transportés sur leur trône et tenant leur *keris,* poignard transmis par leurs ancêtres, rois de Majapahit. La Cour au complet les suit : femmes parées de tous leurs bijoux, enfants et vieillards en costume de cérémonie.

Les Hollandais restent hébétés, comme au théâtre. Le *Raja* au visage endormi écarquille soudain les yeux, fait le geste *niamir,* relève vivement le pan de son habit, et hurle : *« dadia toh ! »* (ça suffit maintenant !). La procession, en transe, s'élance vers les soldats qui ne peuvent éviter de tirer. Dans leur rage de ne pouvoir vaincre, et dans la joie folle d'en finir, les guerriers se jettent au-devant des balles. Les princes tombent; les vieux serviteurs tirent leurs *keris* et poignardent les enfants. Les femmes arrachent leurs bijoux d'or et de rubis, les jettent à la figure des soldats et se transpercent le cœur. Les derniers survivants achèvent les blessés avant de se donner la mort.

La cour de Klungkung, entre autres, suit bientôt l'exemple de ce sacrifice. Les États balinais ne survivent pas au *puputan* de leurs souverains, mais la population poursuit la tradition des *pecatu,* services rendus au palais.

Profitant de la capitulation des Hollandais devant les troupes japonaises, l'Indonésie se proclame indépendante le 17 août 1945.

Cependant, les intérêts néerlandais sont plus puissants que les appuis internationaux de l'Indonésie naissante; trois années de lutte seront nécessaires pour repousser la dernière vague hollandaise. A Bali, les héros de cette période sont presque tous issus des castes guerrières *kasatria* et *wésia,* tel le lieutenant-colonel I Gusti Ngurah Rai, qui livre le dernier combat à Marga, au nord de Mengwi, le 20 novembre 1946, et donne son nom à l'aéroport de Bali.

En 1951, une fois la République reconnue et la loi militaire abolie, Anak Agung Bagus Suteja, de grande famille *kasatria,* est nommé gouverneur de Bali. La guerre a redoré le blason des castes combattantes; éduquées dans les écoles hollandaises, elles peuvent accéder plus aisément aux postes que la jeune République crée dans toutes les provinces d'Indonésie. Mais le mouvement nationaliste qui s'élève des capitales javanaises s'accommode mal du particularisme balinais, qui résiste à l'unification. Le Président Sukarno, tout en déclarant que « le système féodal aboli à Java doit l'être à Bali », freine le fanatisme et la violence qu'engendrent les militants nationalistes par leurs discours aux foules balinaises des villes. Malgré sa tendresse secrète pour l'atmosphère des anciennes cours royales, il ne peut empêcher certains nobles d'être victimes d'attentats, en 1955. A l'intérieur même de la société traditionnelle, des lignées de *sudra,* tels les *Pasek,* tentent de supplanter l'importance politique des castes; ils se présentent en catalyseurs de la tradition rurale et des volontés réformistes de la nation. Le gouvernement, dans un souci de justice populaire, décrète la *land reform* en 1960 : les terres sont limitées à 7,5 ha de champ irrigué ou 9 ha de champ sec par propriétaire. Cela ne ruine pas les *puri,* palais, qui n'exploitaient pas leur terrain à la manière bourgeoise, mais inquiète leurs occupants qui n'ont jamais mis les pieds dans une rizière.

Avec la République, le peuple indonésien attend une transformation des conditions coloniales du passé, mais le coût de l'armée, de l'administration, l'isolement politique et la corruption empêchent toute évolution. Le P.K.I., Parti communiste indonésien, prend de l'ampleur avec le soutien secret de la Chine populaire. La coutume indonésienne du *gotong royong,* entraide collective, permet aux militants de faire écho parmi la population. Malgré ses structures hiérarchiques, Bali est, plus que tout autre, le lieu de l'effacement individuel. Des groupes de sympathisants se forment ici et là, sans aucune notion de marxisme, dans l'espoir de développer l'organisation communautaire qu'ils ont toujours pratiquée.

Certains aristocrates, habitués aux responsabilités et admirés par le peuple, prennent la tête de ces mouvements. Profitant de cette menace de déstabilisation du gouvernement, une junte militaire renverse Sukarno et réprime immédiatement tout ce qui a l'air rouge. Dans la seule île de Bali, en 1965 et 1966, 40 000 personnes environ, soi-disant « communistes », sont exécutées. Le gouvernement de Bali est placé sous le contrôle direct de la nouvelle république militaire siégeant à Jakarta. Depuis, la société de Bali se maintient, à travers les pièges du tourisme et du capitalisme d'État. L'épopée baroque des cours royales continue à être vécue au présent par tous les Balinais, qui souffrent cependant d'un curieux trou de mémoire, correspondant à la période qui précède le rush des touristes en short des années 70.

Agung, adossé à une colonne, est en train de lire, sous le préau central de sa vaste demeure de Belang, que tous les villageois appellent encore le *puri.* Les voisins sont fiers de côtoyer « leur » Agung en son palais, plus qu'ils ne le seraient de recevoir une poignée de main du président de la République. Le palais diffère des propriétés ordinaires par ses dimensions : de nombreux *balé,* pagodes traditionnelles, abritaient les femmes des princes ses ancêtres. Agung, lui, ne s'est marié que deux fois. Les *balé* destinés aux réunions sont assez étendus pour accueillir en même temps les collatéraux et les parents directs de la dynastie des princes de Belang. Le *pamerajan,* temple des ancêtres fondateurs, ouvert sur le palais, est aussi important que le temple du village. Agung et les siens, suivant la loi de leur caste, ignorent le travail des champs. Les égards dus à leur rang sont devenus plus symboliques que réels. Par bonheur, sa belle-fille a obtenu un poste dans la police : son maigre salaire fournit la presque totalité de l'argent dont dispose le palais. Quand sa mission ne consiste pas à gouverner, le *kasatria,* guerrier ou législateur, s'administre lui-même par l'étude et la méditation.

Les ancêtres d'Agung lui ont légué un trésor de textes sacrés, gravés sur des feuilles de palmier. Ses préférés sont les *babad,* chroniques des royaumes du passé. Ils relatent les hauts faits des *kasatria* ses ancêtres, rois, préfets et généraux, en lutte avec les chefs athées, magiciens aux ambitions destructrices.

La société balinaise traditionnelle a ancré son système hiérarchique jusque dans l'architecture : les *balé* ont la forme d'un plateau élevé au-dessus du sol, auquel on accède par paliers successifs. Joignant le geste à la parole, les membres de chaque caste se placent au degré qui convient pour converser. La cosmologie se traduit également en termes de niveaux : les archaïques pierres sacrificielles ouvertes sur le ciel ancestral, les anciens *candi,* temples en terrasses, les *padmasana,* sièges de pierre en forme de fleur de lotus, sont autant de matérialisations de la souveraineté, entendue comme position assise au-dessus des étages inférieurs.

« Matur sisip, antuk linggih ? » (Excusez-moi, où êtes-vous assis ?) demande-t-on à un inconnu pour savoir son titre; à la suite de quoi chacun pourra prendre la place qui convient et choisir la couleur de son langage, *warna bahasa.* La langue balinaise est un art que tout le monde pratique; elle oblige à employer le mot juste, en fonction de l'interlocuteur et du sujet de la conversation.

Quatre phrases différentes sont utilisées selon qu'un inférieur parle à ses semblables de ses semblables, à ses semblables de ses supérieurs, à ses supérieurs de ses semblables ou à ses supérieurs de ses supérieurs ! Chaque réalité se désigne au moins par deux mots, l'un doux, *alus,* l'autre rude, *kasar.* La seule action de « voir » peut s'exprimer par six termes différents : *notin, iwasin, tinggalin, cingakin, aksinin, surianin.* La règle élémentaire : ne jamais employer de formule trop *alus* pour se désigner soi-même. Parler, c'est révéler le lieu duquel on parle : les langues balinaises sont l'exercice quotidien de la rhétorique des pouvoirs. Les relations hiérarchiques inhérentes au langage se pratiquent également entre membres d'une même famille : le cadet parle *alus* à son aîné. Le plus âgé bénéficie de la langue raffinée, de même que l'héritage revient au premier des fils.

La souveraineté attachée au statut des *kasatria* en fait les « aînés » de la société; les titres d'*Agung,* magnifique, *Gedé,* immense, *Cokorda,* divin pied, témoignent de leur grandeur symbolique.

Agung et ses amis sont assis sur une natte, autour d'une boîte à bétel. Elle se compose de cinq compartiments. Dans chacun d'eux se trouve l'un des ingrédients de la chique : feuilles de bétel, noix d'arec, chaux, résine de gambirier et tabac. Agung commence à conter une histoire drôle, tout en préparant ses feuilles à mastiquer. Il en prend deux, les épointe, les frotte d'un peu de chaux, y dépose un morceau de noix âpre et autant de résine végétale. Les feuilles repliées arrivent à sa bouche à l'instant où il conclut son récit. Il savoure les rires de son public en même temps que le jus âcre et astringent qui envahit sa bouche. Il glisse derrière sa lèvre inférieure une pincée de tabac qui absorbe sa salive rouge. Il se penche hors de la natte, crache l'excès de liquide sur la terre de la cour et reprend la parole.

« Savez-vous que les cinq ingrédients qui se trouvent dans cette boîte sont semblables aux cinq frères Pandawa? La feuille de bétel, c'est Arjuna, car elle est douce, et colore les lèvres en rouge, ce qui nous rend aussi séduisants auprès des femmes que le fils d'Indra. La chaux, c'est Bima, car elle est forte, et l'emporterait sur tout le reste si l'on dépassait la dose. La noix et la résine, ce sont Nakula et Sahadewa, car elles se côtoient comme des jumeaux au sein de la chique. »

« Alors le tabac, c'est Dharma Wangsa », demande quelqu'un de l'assistance.

« C'est exact, répond Agung, car il tient ses quatre cadets ensemble, et meurt le dernier. »

Personne ne prend pour une pédanterie cette évocation des personnages de l'épopée Mahabharata; tout le monde à Bali connaît leurs faits et gestes par cœur. Les héros divinisés, considérés comme des ancêtres, ont leurs homologues vivants dans les castes souveraines. Le caractère chevaleresque des *wésia* et surtout des *kasatria* continue de servir de modèle en matière d'éthique; la quasi-totalité des arts, même les plus populaires, mettent en scène les rois, *Ratu*, et les ministres, *Patih,* qui en sont issus.

L'admiration pour la noblesse va parfois jusqu'à la caricature : tel agriculteur ou employé de banque laisse pousser ses ongles, ce qui lui donne l'air oisif, c'est-à-dire aristocratique. Les *sudra* ambitieux prénomment leurs enfants *Gedé,* titre qui, associé à d'autres, est un privilège des castes supérieures. L'impresario John Coast, dans les années 50, admirait la ruse de son jeune assistant qui avait adopté le nom de Kusti, espérant profiter ainsi de l'équivoque avec *Gusti,* titre réservé aux *wésia.*

Des racines profondes aux comportements les plus naïfs, la société balinaise s'est sans cesse approprié l'héritage hindo-javanais. En l'absence de toute envergure politique, les cours royales, dans leur dimension idéologique, remportent aujourd'hui encore un véritable succès populaire.

La vie à Bali est déjà du théâtre : elle se déroule dans l'univers des conventions et des décors; ses personnages sont identifiables par leur titre, leur discours et leur gestuelle. L'esthétique balinaise n'est autre que l'accentuation de la vie quotidienne : chacun fait de l'art sans le savoir.

La finalité de la beauté est religieuse : l'art est le moyen de ramener à la présence divinités, ancêtres, afin qu'ils se laissent prendre à leur propre reflet et descendent séjourner un temps parmi les hommes.

Le masque, la statue, le corps du danseur doivent dépasser le stade de l'imitation des modèles mythologiques pour devenir vivants, *idup.* Le *keris,* poignard héréditaire, n'est ni une arme ni un objet d'art; il est le double de son propriétaire : le prince en voyage peut se faire représenter par lui à l'occasion de son mariage avec une femme de rang inférieur.

Les ouvrages d'art sont des instruments magiques : ils sont efficaces s'ils sont « habités », ce que les Balinais appellent *taksu.*

Gusti est un maître renommé de théâtre masqué *topèng.* Il refuse toujours les quelques milliers de roupies que lui offre l'organisateur du spectacle. Gusti pense qu'il est inconvenant d'accepter de l'argent pour avoir pratiqué l'acte *mesolah.* Ce terme désigne l'intervention de l'artiste dans une fête sacrée, l'engagement total par lequel il participe à la perfection d'une cérémonie.

« Ce n'est pas moi, c'est le masque qui danse », confie-t-il avec sincérité à un jeune acteur transi d'admiration.

Certains s'étonnent que Gusti n'enseigne pas à l'académie de danse ou au conservatoire : « A quoi bon former des élèves qui vont disparaître je ne sais où. Le gouvernement insiste pour que je devienne professeur, mais je ne puis accepter. A quoi cela sert-il d'étudier les positions du corps, les pas, les chants, si c'est pour les reproduire comme une mécanique? Avant tout il faut acquérir la base, *dasar,* le socle sur lequel repose tout le reste. » Gusti pense que cette connaissance découle d'un mariage avec les énergies du monde, au sein du temple.

« Le danseur un tel est arrivé très haut. Ce qu'il fait est très beau; il danse dans les grands hôtels, mais il lui manque la base. Espérons pour lui que le vent ne souffle pas trop fort. »

L'art de cour est dominant : seuls les rois, princes et ministres ont une dimension épique, fonctionnelle, qui permet de renforcer l'architecture politico-religieuse de la société. L'univers ésotérique des prêtres *brahmana* se prête mal à la représentation, mais la dynamique propre au peuple *sudra* est intégrée à l'art de cour par l'intermédiaire des *penasar,* serviteurs qui traduisent les discours savants de leurs maîtres. Leurs mots d'esprit, leurs interprétations burlesques mettent en abîme, le temps d'un rire, l'éthique préétablie par le rang ou l'ordre théologique. Cependant, ils sont fiers de porter les habits de la cour.

La souveraineté est une parole, la guerre une danse, et la paix une évocation des héros. Les palais ont conservé un vaste répertoire littéraire, théâtral, musical, et l'ont modelé selon les régions d'implantation. Les populations des alentours l'ont peu à peu intégré à leur culture. Les textes majeurs sont les épopées indiennes dans leur version javano-balinaise : le Mahabharata et le Ramayana, saga du prince Rama à la recherche de sa femme enlevée par le roi d'Alangka; les épopées javanaises dans leur version balinaise : le cycle du roi Panji, conquérant-séducteur dont la geste mythique parcourt les royaumes de Java-Est au XIIe siècle.

Le soir, les lettrés se réunissent dans le halo de la lampe à pétrole, autour d'un texte en *kawi,* ancien javanais. Le lecteur chante un vers, son partenaire le traduit en balinais raffiné. La strophe terminée, l'assemblée se détend, reprend une chique de bétel, une cigarette au clou de girofle, un verre d'alcool de palme. Chacun donne son avis sur la prosodie, la traduction, et se lance dans de longs commentaires.

Ces épopées sont mises en scène dans différents genres de spectacles : théâtres d'ombres, d'acteurs masqués ou maquillés, ballets et comédies.

Le *gambuh,* prototype de l'art savant, en est l'une des formes les plus élaborées. La musique du *gambuh* est, du point de vue mélodique, la plus riche de toutes celles de Bali : elle se joue sur sept notes par octave, non sur cinq ni même quatre, comme c'est le cas habituellement. Les accentuations, les ornements, la dynamique fluctuante des phrases mélodiques sont rendues possibles par les instruments eux-mêmes : flûtes d'un mètre de long, vièle à archet unissent leurs voix à celle du chanteur-récitant. Les périodes lentes soutiennent la gestique en apesanteur des princes et des princesses; les mouvements rapides accompagnent les gestes saccadés des généraux investis du pouvoir exécutif.

Comme c'est la règle à Bali, les acteurs sont à la fois danseurs et chanteurs. Jusqu'à une date récente, les hommes interprétaient tous les rôles, comme dans le théâtre masqué *topèng.* Au cours des siècles, les Balinaises n'ont touché aucun instrument de musique, pas plus que plumes, pinceaux ou gouges... Elles exécutent les gestes simples des danses votives, des parades succédant aux moissons, mais leur accès au monde de la représentation s'est surtout cantonné au tissage et à la confection des ouvrages énigmatiques que sont les offrandes. Leur répertoire s'est développé depuis un demi-siècle, en réponse à la demande implicite d'un nouveau regard. Aujourd'hui, elles tiennent non seulement les rôles féminins, mais encore ceux des héros masculins *alus,* doux, qui étaient auparavant réservés aux jeunes gens.

Cependant un ballet féminin est associé depuis longtemps à l'univers de la Cour : le *lègong keraton, lègong* du palais. Trois danseuses impubères incarnent le roi Lasem, la reine Langkesari et la *condong.* Elles expriment les forces de l'amour, du désespoir, de la colère ou du surnaturel dans un style très codifié : la chorégraphie suscite l'émotion en cristallisant les états d'âme en un cycle de gestes conventionnels. Le *lègong* est l'idéal de la noblesse, la démonstration de sa virginité; une danse pure où aucune partie du corps n'est laissée à l'abandon du naturel.

A Bali, le beau est omniprésent mais difficile : l'éducation artistique de chacun commence dès les premiers pas.

Depuis qu'elle est née, Rai, la fille d'Agung, assiste à toutes les activités des adultes. Dans les bras de sa mère, de son père ou d'un parent, à cheval sur la hanche d'une jeune fille du palais, elle se familiarise avec le son caverneux des grands *gong,* les attaques des tambours, l'aura cristalline du *gamelan.* Elle imite en riant les gestes rituels accompagnant les offrandes, suit sa mère des yeux lors des danses sacrées dans le *pamerajan :* dans la cour du temple des ancêtres fondateurs, les femmes, alignées derrière la plus experte, prient avec leur corps tout entier, appelant les dieux de leurs mains ouvertes sur le ciel. Rai se détache des grappes d'enfants plus jeunes, elle mime les adultes, et danse en fredonnant, pour remplacer l'orchestre.

Agung ne lui donne aucun conseil, fait même semblant de ne pas la voir. Le jour de ses quatre ans, jugeant qu'elle s'est suffisamment formée par elle-même, Agung décide de l'aider à devenir danseuse.

A chaque date favorable, un maître renommé vient passer une matinée au palais. Tout près de l'oreille de Rai, il chante la phrase musicale, imitant les timbres des instruments, et spécialement celui des tambours sur lesquels s'appuie la danse. En même temps, il tient Rai par-derrière, rectifiant la position de la tête, des mains, l'écartement des genoux. Manipulée comme une poupée, Rai s'habitue à synchroniser ses gestes avec la musique : ses prunelles tombent à chaque coup du petit *gong klèntong;* ses pieds martèlent la terre battue au même rythme que les cymbales *cèngcèng;* son menton rejoint la poitrine, et son centre de gravité s'abaisse à chaque scansion du grand *gong.* A son insu, ses articulations se font indépendantes, chacun de ses doigts s'anime d'une vie propre. Ses pas dessinent dans l'espace les figures cosmiques au rythme des cycles musicaux : à la fin de chaque période, elle se fige en une posture, *agem,* immobile comme une statue, tantôt appuyée sur la jambe droite, tantôt sur la gauche. Le maître se détache enfin de son élève, lui fait face, se mouvant devant elle comme une image inversée. Rai n'a plus besoin de guide pour rejoindre l'essence de la danse : corps écartelé dans son affiliation au cosmos, le haut toujours plus près du ciel, le bas toujours plus près de la terre, le nombril stable, irradiant les feux du *lègong.*

L'apprentissage de la danse est affaire individuelle : l'instrument, c'est le corps. A Bali, la mise en scène n'existe pas : l'espace ne subit pas la dictature d'un regard extérieur; il est créé, de l'intérieur, par l'art gestuel de chaque personnage.

Le public par excellence, celui des dieux auquel le spectacle est destiné, voit la scène à son image : il préfère la diversité à l'harmonie d'ensemble, et goûte dans le détail le sens de chaque geste.

Dans la musique, au contraire, l'instrument, c'est l'orchestre tout entier; l'apprentissage et l'exécution musicale sont des pratiques collectives. Certains orchestres sont spécialement affiliés aux palais. Le *gamelan* appelé *semar pegulingan,* berceau du dieu de l'amour, accompagne le *légong,* donne des concerts où se succèdent les pièces les plus voluptueuses : *gegunaman,* qui accompagne la sieste des princes, *sekar gendotan,* la fleur qui se penche... A l'autre pôle, le *gong gedé,* grand *gong,* orchestre puissant et rude, encourage les danses martiales.

Les enfants, libres d'aller où bon leur semble, ne manquent pas de s'arrêter sous le préau où sont entreposés les instruments du village ou du palais; ils s'amusent à copier les gestes des musiciens. Quand les adultes se réunissent pour répéter, ils viennent s'asseoir sur leurs genoux. Parfois, le musicien prend la main de l'enfant, la referme sur le manche du maillet, et continue à frapper les lames de bronze, manipulant le bras souple de son élève. Le solfège est inutile : il suffit d'apprendre en faisant confiance à sa mémoire. Quand l'élève est suffisamment imprégné par la musique, il est lâché et continue seul sur sa lancée.

L'ensemble instrumental balinais est appelé *gong.* Il est en général composé de deux tambours, d'une quinzaine de métallophones et d'une flûte. Le chef d'orchestre tient le *lanang,* tambour masculin, et imprime sa dynamique à l'ensemble : il marque les départs, les accélérations, les ralentissements et les arrêts. Certains métallophones, grâce à l'amplitude de leur tessiture, jouent la *gending pokok,* ligne mélodique principale; d'autres doublent cette mélodie par des phrases aiguës et rapides; les plus graves marquent simplement les temps forts. A l'exception des *gong,* des bulbes et des cymbales, les instruments sont constitués de lames suspendues à des châssis de bois sculpté qui vibrent au-dessus de tubes de résonance en bambou. Le terme *gamelan,* qui désigne souvent l'orchestre, signifie en réalité « tenir » : la technique consiste à frapper une lame à l'aide d'un maillet porté par la main droite, puis à la « tenir » de la gauche, dès que le maillet attaque la suivante, afin d'éviter que les vibrations ne se mélangent. Le *gamelan* ne dispose que de cinq notes par octave, et certains exécutants ne font qu'attendre quelques dizaines de mesures avant de donner un coup de gong. Cependant, grâce à l'art du toucher, la combinaison sans fin des figures rythmiques et la somptuosité des timbres riches en harmoniques, le *gamelan* est la passion séculaire des Balinais. Il est en prise directe sur la cohésion sociale, et non sur la virtuosité individuelle : c'est un art d'équipe. Chaque année, un championnat met en compétition les plus ambitieux parmi les mille *gamelan* de l'île.

L'art balinais peut être populaire ou savant selon le degré de maîtrise de ceux qui l'interprètent, mais sa finalité ne réside pas dans le perfectionnisme esthétique. Il est fonctionnel et appartient à une liturgie qui se déroule dans un ordre, dans des lieux, à des dates déterminés. Les œuvres et les manifestations artistiques se répartissent en autant de catégories que de rendez-vous rituels spécifiques. Malgré cette fragmentation, les royaumes ont marqué de leur style la culture balinaise, à l'échelle de leur territoire.

Dans chacun des huit royaumes, une capitale s'est formée autour du palais principal. Les maisons princières secondaires constituent le noyau des villages importants. Chaque *puri* a suivi son destin : certains sont devenus des hôtels, comme le Puri Pamecutan de Denpasar, ou des auberges, comme à Bangli, Peliatan et Ubud. D'autres sont restés paralysés dans l'âge d'or : Klungkung, où les femmes réalisent des tissus si beaux et si chers qu'elles donnent l'impression de ne pas vouloir les vendre; Krambitan, près de Tabanan, qui semble un musée réservé à d'invisibles visiteurs. Chaque ancien domaine princier perpétue une spécialité : les *dalang,* officiants du théâtre d'ombres, sont issus de Sukawati; les masques et les costumes sont exécutés à Singapadu. Les styles sont parfois très différents d'un royaume à l'autre. Le traditionnel lion ailé, sculpté dans la région de Singaraja, est hirsute, vivace; il s'entoure de motifs végétaux qui éclatent avec rudesse; le bois sent le coup de ciseau. Le même sujet réalisé dans l'aire de Gianyar est d'une splendeur plus douce; la posture est plus assise; les ornements ciselés sont efféminés et polis, les ongles manucurés.

Au palais de Belang prend fin l'*odalan ring pamerajan,* l'anniversaire du temple des ancêtres fondateurs. Les fleurs votives, supports de trois jours de prières, recouvrent maintenant le sol en terre battue. Les jeunes garçons apparentés au palais se mettent en ligne pour la danse *baris;* ils sont armés d'une lance et portent un habit multicolore; le *gamelan* entonne le motif *bapang;* les danseurs font un pas en avant, prennent appui sur leur lance et restent en équilibre sur une jambe, un genou relevé, les épaules hautes, les yeux écarquillés. Ils se retournent; les lances s'entrechoquent, les têtes se rejettent en arrière; les pétales de nacre bruissent au-dessus des coiffes. Avec la mélodie *gilak,* les gestes se font moins autoritaires, les paupières s'abaissent. Le *bapang* reprend, mouvement vif qui rythme la fin de la danse, tel un arc qui se tend pour une nouvelle flèche. Un danseur, parmi les plus jeunes, ne parvient pas à maintenir ses jambes repliées dans le même plan que son corps; il vacille, sa coiffe se déplace. Les fidèles, qui semblaient distraits, ne laissent pas passer la faute et se mettent à rire. Le danseur rougit, mais continue d'une allure encore plus fière la danse de sa caste *kasatria.*

Agung a invité son ami Gusti à clore les cérémonies avec un *topèng pajegan,* spectacle de théâtre masqué dont l'unique acteur interprète tour à tour chacun des rôles. Derrière un double rideau, seul accessoire qui fait du temple un théâtre, Agung aide son ami à s'habiller : il comprime le haut de la poitrine par une longue bande de tissu qui permet à l'acteur de garder longtemps les épaules relevées sans se fatiguer; il ajuste les sous-vêtements blancs, et y fixe boléro, plastron, ceinture, cape décorée de motifs peints à l'or. Enfin, il enfile le *keris* sous les étoffes en travers du dos, laissant apparaître la poignée ouvragée au-dessus de l'épaule droite de Gusti. Les masques de bois sculpté et peint, les coiffes de cuir ajouré sont posés sur une table non loin d'une offrande surmontée de bâtons d'encens. Gusti prie et se concentre; il prend le masque du monarque et s'en imprègne. Ses propres traits se conforment à ceux du masque, pour mieux l'intérioriser. Quand l'union est achevée, il le presse sur son visage, et se pare de la couronne fleurie. A cet instant, son identité est changée; il n'est plus Gusti, mais *Dalem,* le Souverain. Le masque est fermé, à l'exception de deux fentes sous les yeux. La couleur laiteuse convient à ce héros hors du monde, mis à l'abri, par les parasols, de l'ardeur du soleil et de la roue du temps. Les yeux, peu ouverts, n'offrent que la moitié de leur regard, l'autre restant tournée vers l'intérieur. Sous la fine moustache, la bouche muette esquisse un sourire nacré et bienveillant. Dalem est le roi *alus,* doux; ses gestes sont la flexibilité, son caractère le calme, son attitude, la retenue, *godèg miring.*

Le *gamelan,* averti par Agung, commence à jouer *jaran sirig,* « le cheval qui recule ».

Les pieds nus du danseur apparaissent sous le rideau. L'étoffe se plisse; un doigt à ongle long se fraye un chemin; les pans du tissu s'écartent insensiblement. A peine a-t-on le temps d'apercevoir l'éclat de l'œil et le sourire de nacre que le rideau s'ouvre. Vibrant comme un reflet dans l'eau, l'ancêtre est là, de notre côté, dans notre monde.

Figure de wayang kulit : *Arjuna*

Légendes

1 I Madé Jimat, actuellement le danseur le plus célèbre de Bali, teste deux masques de *topèng.* Il les anime comme des marionnettes, pour vérifier leur capacité à prendre vie. Batuan, 1979.

2 I Madé Jimat incarne Kebo Tumunur, premier ministre du roi de Gegelang, un des héros de l'épopée que met en scène le théâtre *gambuh.* Batuan, 1977.

3 Le *topèng,* théâtre masqué, est traditionnellement précédé de quelques danses en solo. *Topèng tua,* le masque du vieillard, exprime la sérénité, mais de nombreux interprètes actuels en donnent une version parodique, plutôt mimée que dansée. Ici, le masque est l'œuvre de Déwa Putu Klebès, sculpteur qui n'a pas encore été égalé. Batuan, 1977.

4 Pak Rangkus et I Gusti Ngurah sont, à la scène, Punta et Kartala, les deux récitants bouffons indispensables à toute représentation de théâtre balinais. Ils sont effrayés par l'apparition d'un personnage monstrueux. Batubulan, 1973.

5 Déwa Putu Brata, artiste du village de Batuan, lors d'une répétition de théâtre *gambuh.* Batuan, 1977.

6 Anak Agung Gedé Raka, descendant des princes de Batuan, figé dans l'expression caractéristique des danses martiales. Il fut en 1931 la vedette du spectacle qui inspira à Antonin Artaud les textes sur le théâtre balinais dans *le Théâtre et son double.* Palais de Batuan, 1977.

7 Deux jeunes acteurs, Madé Badung et Ketut Rina, se maquillent en *penasar,* avant un spectacle de création donné à Tegès, 1977.

8 La danse *olèg tambulilingan* fut créée en 1952 par le célèbre chorégraphe I Ketut Mario. Elle met en scène le jeu de la séduction entre un couple de danseurs. Le personnage masculin, à la gestuelle sophistiquée et douce, est interprété ici par une jeune fille. Région de Tegalalang, 1979.

9 Personnage féminin de l'*olèg tambulilingan.* Région de Tegalalang, 1979.

10 Au cours du théâtre masqué, certains *bebondrèsan,* personnages grotesques et bavards, viennent amuser le public, brisant momentanément le sérieux de la représentation. Batuan, 1977.

11 Céluluk, une compagne monstrueuse de Rangda la sorcière, lors d'une représentation du mythe de Calon Arang. Sukawati, 1978.

12 Au cours de l'immense cérémonie *Eka Dasa Rudra,* au temple de Besakih, les danseurs du rituel *baris tumbak* s'appuient sur leur lance, entre deux parades. Pura Besakih, 1979.

13 Cérémonie de purification *mekebat daun,* « ouvrir la feuille », au *pura dalem* de Petulu. De retour de la procession, les participants se reposent sous le préau de la cour extérieure du sanctuaire. Petulu, 1973.

14 Jeune danseur de *baris,* danse guerrière. Tegès, 1978.

15 Deux danseuses de *lègong keraton,* danse de cour, interprètent les rôles du roi Lasem et de l'oiseau de mauvais augure, personnages de l'épopée Malat. Tegès, 1977.

16 La reine Langkesari, au cours de la danse *lègong keraton.* Tegès, 1975.

17 Une interprète du fameux *lègong keraton* du palais de Peliatan, 1973.

l'univers du sacré : la fête des dieux

Les flux idéologiques qui irriguent l'Inde, l'Asie et le Pacifique convergent, s'accumulent et se conservent à Bali; les activités religieuses y atteignent une rare intensité.

Bali compte plus de temples que de demeures : chaque maison contient déjà le sien. En moyenne, la population consacre aux rites deux heures par jour et une journée complète par semaine. Les insulaires sont d'abord confrontés à leur propre territoire. Les volcans Gunung Batukau, Gunung Batur et Gunung Agung en sont les épicentres. L'île entière s'oriente selon l'axe *kaja-kelod* (kaja : la direction du Gunung Agung, pôle céleste; kelod : celle de la mer, pôle infra-terrestre et démoniaque). Le rayon *kaja-kelod* balaie l'île en prenant pour centre le Gunung Agung. Les contrastes entre haut et bas, intérieur et extérieur, eau douce et eau salée, ne suffisent pas à rendre compte des cycles auxquels sont soumis les hommes et le monde vivant. Le soleil les domine : son levant est une origine, son couchant une fin; à son zénith, il se confond avec le sommet du Gunung Agung. Le côté le plus respectable d'une maison, d'un temple, d'un être humain, est le plus élevé, le plus proche du Gunung Agung; porcherie, toilettes, temple des enfers et cimetière, sont tournés vers la mer. Le nord, froid, et le sud, chaud, viennent compléter ces pôles. Personne ne trouve le sommeil s'il ne repose sa tête vers le levant, l'appétit s'il ne lui fait face, ni la bonne route s'il oublie *catur naya,* la règle des quatre : « Si tu marches vers le nord, souviens-toi du sud; si tu vas vers l'ouest, aie conscience de l'est. »

Au même titre que la volonté de s'inscrire dans l'espace, le peuple balinais désire légitimer la société des vivants par celle des morts.

Les sacrifices accompagnent les premiers chefs dans leur sarcophage, tortue de pierre capable de traverser les océans de l'au-delà. Les âmes des puissants hantent les menhirs et les pyramides à gradins lors des cérémonies. De nos jours, des temples s'élèvent sur l'emplacement de ces pierres sacrificielles et le culte reste inchangé dans son principe : les divinités, attirées par les offrandes et les prières, viennent séjourner dans les lieux sacrés. Dès les premiers siècles, les chefs renforcent leur statut en identifiant leurs ancêtres aux divinités que les brahmanes hindouistes introduisent à Bali. Des moines, adeptes du bouddhisme mahayanique, s'établissent également auprès des souverains qui accumulent les pouvoirs : ils se prétendent non seulement des incarnations d'Indra, roi des dieux du panthéon hindou, mais aussi des manifestations de Buddha. Les dieux de l'hindouisme personnalisent les états de la matière; les Balinais ne les confondent que mieux avec leurs principes cosmiques traditionnels : le soleil est Siwa, l'eau, Wisnu...

Le mythe représentant Bali comme une tortue ceinturée par deux serpents marins peut s'interpréter à la manière hindouiste : les dieux, en quête d'élixir, décident de « baratter » la mer de lait; Wisnu se transforme en tortue Bedawang Nala, Siwa en serpents Antabhoga et Basuki.

Les mythes fondateurs, malgré la diversité de leurs versions, ont un impact immédiat dans l'imaginaire des Balinais.

Août 1977. Ida Bagus et sa famille, membres de la caste *brahmana,* sont réunis dans leur propriété de Celuk. Les bruits de la nature s'arrêtent. Avec un grondement sourd, le sol se met à vibrer, puis à bondir. Ida Bagus et les siens saisissent en hâte quelques objets qui leur tombent sous la main : cuvette, morceau de bois, boîte en fer-blanc. Ils s'assoient en cercle au centre de la cour et font le plus grand vacarme possible à l'aide de leurs ustensiles. Quelques minutes plus tard, la terre cesse de trembler. De concert avec des centaines de milliers d'autres Balinais, ils sont parvenus à réveiller les deux serpents géants qui avaient relâché leur étreinte autour de Bali-la-tortue.

Du XIe au XIVe siècle, les cours javanaises vérifient sur Bali l'efficacité politique de leurs propres versions de l'hindouisme et du bouddhisme : les divinités adoptent un profil royal et les souverains se parent d'attributs divins ou démoniaques. Les rois javanisés se comportent en maîtres absolus du culte, à la différence de leurs modèles indiens qui reconnaissent la supériorité religieuse des grands prêtres de la caste *brahmana.* Les cultes hindo-javanais, dans un premier temps, ne concernent que les familles souveraines, puis une société de plus en plus vaste les intègre, à l'exception de quelques communautés montagnardes qui refusent jusqu'à nos jours la javanisation de leurs coutumes.

La religion balinaise actuelle, *agama Hindu Dharma,* ne renie aucune de ses composantes; elle les refond en un alliage original, teinté de multiples particularismes locaux. Siwa règne sur les nombreuses divinités du panthéon balinais. Comme les autres dieux, il se manifeste différemment selon ses fonctions et revêt divers titres. Vénéré en tant que Siwaditya, il se confond avec Suria, dieu solaire. Il se manifeste en Mahadewa pour habiter le Gunung Agung avec le titre d'Ida Bhatara Ring Gunung Agung. Il se manifeste en Iswara pour entrer dans la triade Brahma-créateur/Wisnu-conservateur/Siwa-destructeur, dont il est le principe intégrant. Dans sa fonction de divin maître, il est honoré sous le

1

titre de Bhatara Guru. Roi du monde inférieur, il se nomme Ratu Gedé Dalem. Chaque dieu du panthéon change d'identité pour intervenir, à des degrés plus ou moins célestes, terrestres ou infra-terrestres, positifs, neutres ou négatifs : Brahma, dieu du feu créateur, entretient les braises du foyer sous la forme d'Agni et attise les flammes de l'enfer en la personne de Yama.

Les divinités vont par couple, *déwa-déwi,* dieu-déesse : Kama, dieu de la sensualité, est accompagné de Ratih, déesse de la lune; Wisnu, dieu des eaux, de Sri, déesse du riz...

Les agriculteurs invoquent les multiples divinités de la fertilité. Jero Gedé est le dieu propriétaire du sol; celui qui s'apprête à abattre un arbre lui en demande l'autorisation.

Certains dieux répondent à des besoins précis : les cupides prient Rabut Sedana, qui préside aux biens matériels; les ambitieux, Hyang Maha Kuasa, divinité de la force; les étudiants, Déwi Saraswati, déesse du savoir...

Dans le temple domestique, Taksu facilite la communication entre les dieux et les hommes; Ngurah protège la terre; les Divins Géniteurs, âmes purifiées et anonymes des ancêtres de la famille, habitent l'autel des origines.

Certaines entités, sans réduire la diversité divine, représentent l'Inconcevable, l'Un ou l'Ordre universel, tel Sang Hyang Widhi. Cependant, le principe par lequel l'homme rejoint le divin à l'intérieur de lui-même s'appelle Buddha; la loi qui garantit la justice parmi les êtres humains est celle de Dharma.

Dieux et démons ne sont pas seuls à peupler l'univers; ils ont pour associés spécifiques les objets rituels, armes magiques, offrandes, formules et gestes sacrés, couleurs, points cardinaux, organes du corps, animaux, arbres, allégories, dates et nombres. Ces derniers, par leur caractère astral et leur fonction de classification, donnent aux Balinais la possibilité d'interpréter l'univers selon différents systèmes où gravitent un nombre défini d'éléments. *Rwa bhinéda,* les deux séparés, modèle bipolaire, explique le sec et l'humide, le masculin et le féminin, la droite et la gauche, la tête et les pieds... L'adjonction de l'être humain en fait un schéma ternaire. La classification par quatre régit, entre autres, la tradition qui veut que les enfants s'appellent, par ordre de naissance, Wayan, Madé, Nyoman, Ketut, le cinquième inaugurant un nouveau cycle. Les diagrammes à cinq, sept, neuf et onze éléments, ainsi que leur combinatoire, compliquent encore le jeu; il ne se termine qu'une fois ramené à l'unité et réduit au zéro. Pour se libérer de ce système de classification, les Balinais, procédant par analogie, provoquent des identifications en chaîne : « Siwa est Brahma, Brahma est Iswara, Iswara est le cœur. » La pensée interprétative s'arrête parfois au bord de la confusion. Ainsi, les acteurs de théâtre masqué, sous prétexte de faire réviser au public les notions de base de la religion, rivalisent d'astuces au cours de longs délires dont voici un extrait :

Dalem (le roi) : « Mon serviteur, veux-tu savoir que faire pour que l'est et l'ouest soient un ? »

Kartala : « S'il vous plaît, Majesté, expliquez-moi. »

Dalem : « L'ouest égale sept. L'est égale cinq. Sept et cinq font douze. Douze veut dire *brata,* abstinence. *Brata* veut dire deux. Deux veut dire le corps; et le corps est un. »

Kartala : « Et en quoi le corps consiste-t-il, divin roi ? »

Dalem : « Le corps consiste en *Yayurwéda* (un des quatre *véda,* textes sacrés de l'Inde). *Yayurwéda* veut dire le sud et le nord. »

Kartala : « Le nord est neuf, le sud, quatre. Cela fait treize. Dix signifie *pengawak,* cadavre, c'est-à-dire le corps. Qu'en est-il du trois ? Que désigne-t-il ? Où est sa place ? »

Dalem : « Trois veut dire trois temples : *pusah, dèsa, dalem,* les trois temples de chaque congrégation villageoise. »

Panthéon, dogmes et systèmes de pensée résistent à la simplification; certaines divinités sont connues d'une congrégation mais ignorées d'une autre. Les dieux jouent le même rôle que les ancêtres : ils ont avant tout une valeur et un pouvoir local; leur répartition, leurs fonctions ne sont pas uniformes; ils représentent des intérêts sociaux distincts, parfois même opposés ou contradictoires.

Le Balinais, interrogé sur sa religion, ne se montre ni fanatique, ni exhaustif : le monde divin, pas plus que l'humain, ne s'ordonne selon des référents absolus. A Bali, le polythéisme, en perpétuel décentrement, garantit le dynamisme du jeu des pouvoirs.

A cinq heures du matin, Dayu Byang, la femme d'Ida Bagus, découpe des carrés dans une feuille de bananier et y dépose une parcelle des aliments qu'elle prépare pour la journée. Elle les place d'abord aux endroits les plus bas, les plus exposés au danger : canaux d'évacuation de l'eau, sol de la cour, seuil de la demeure, marches des pavillons. Ensuite, elle les pose sur les organes de la maison auxquels il faut rendre grâce : âtre, margelle du puits, grenier à riz, vélomoteur de ses enfants. Ce jour-là, les divinités peuvent descendre sur terre; il lui faut préparer aussi des offrandes plus subtiles. Elle découpe et tresse de jeunes feuilles de cocotier en forme de coupelle et les épingle à l'aide d'un fragment de bambou. Elle fixe sur le fond un morceau de feuille de bétel, y dépose des ingrédients de trois couleurs différentes, le riz, le tamarin et le curcuma, puis elle couronne l'ensemble de fleurs de frangipanier. Dayu Byang confie les offrandes à ses deux filles cadettes; elles aspergent les coupelles d'eau bénite et les ornent d'un bâton d'encens avant d'entrer dans le temple des ancêtres fondateurs de la famille. L'autel le plus élevé est hors de leur portée; elles s'en retournent auprès de Dayu Byang.

« Mère, nous n'arrivons pas à poser l'offrande pour Sang Hyang Suria, là-haut ! »

Dayu Byang se met à rire : « Posez-la donc plus bas ! »

Elle s'amuse de la mine interloquée de ses filles et reprend, avec sérieux et douceur : « Ce qui compte, c'est l'*acep,* la direction que prend votre pensée quand vous la présentez. »

Remarquant l'air attentif de ses élèves, elle poursuit : « Il faut toujours lier parole, action et pensée. Ce qui donne sa portée à l'offrande, c'est *ngayab,* le geste avec lequel vous la dédiez, en harmonie avec vous-même et avec le but qu'elle doit atteindre. »

Sentant que la leçon serait oubliée sans l'exemple du geste, Dayu Byang amène sa main droite sur sa poitrine afin d'y concentrer la prière, et la tourne vers l'extérieur suivant une courbe ascendante, jusqu'au siège de la divinité.

Ngaturang, l'art d'offrir avec respect, accompagne les dons rituels. Les offrandes, adressées aux dieux propriétaires de l'univers, ne sont qu'une juste restitution. En donnant plus qu'il n'est de mise, le fidèle force la générosité des divinités. La stratégie est célèbre, de l'Indonésie au Pacifique : les familles nobles se ruinent mutuellement en cadeaux, comptabilisant les dons reçus afin d'en rendre encore plus à la prochaine occasion.

Les démons sont trop puissants pour être chassés; les offrandes les apprivoisent, en rassasiant leurs appétits. Dans le monde des hommes, les présents attirent les dieux, et les sacrifices, les démons.

Les *banten,* offrandes aux dieux, sont différentes selon les cérémonies : matériaux et formes obéissent à un code que chaque congrégation interprète. Les produits qui les composent sont choisis parmi les plus purs, tels les fruits de la première récolte de la saison. Les dieux partagent la condition des aristocrates : en infime minorité par rapport à ceux qui les entretiennent, ils préfèrent la qualité à la quantité. Toutefois, les *banten,* modèles sublimes du système des échanges, sont sujettes à comptabilité : la plupart contiennent non seulement des éléments quantifiables, mais encore une certaine somme en *kepèng,* monnaie chinoise de bronze à perforation carrée, réservée aux rétributions rituelles. L'offrande la plus courante se nomme *canang,* chique de bétel, cadeau de bienvenue par excellence. Les dieux consomment l'offrande comme l'homme la chique : sans l'avaler, en en goûtant seulement la saveur et la *sari,* l'essence. Cependant le riz, denrée de base du repas rituel que la société partage avec ses ancêtres, y est omniprésent. Les offrandes majeures, montagnes baroques, s'ornent de motifs découpés, tressés, entrelacés, où alternent les frises abstraites et les *cili,* figures humaines stylisées. Les galettes en pâte de riz empruntent leurs formes et leurs couleurs à la cosmologie. Chaque *gebogan* est une tour multicolore; toutes sortes de fruits sont fixés sur un tronc de bananier hérissé de tiges de bambou, que surmonte une coiffe de feuilles et de fleurs.

Le langage des offrandes se perpétue sous la direction des *tukang banten,* vieilles femmes issues le plus souvent de la caste *brahmana.*

Les *banten* ressemblent à la fois à des personnes humaines et à des configurations cosmiques : les dieux y trouvent leur place de prédilection, entre l'homme et l'univers. Les meilleurs réceptacles sont les éléments eux-mêmes, une fois consacrés : l'eau, le feu, la fleur qui s'ouvre.

Les lieux du culte, en dur ou en bambou, de la dimension d'une corbeille ou d'un stade, envahissent l'espace balinais. Dieux et démons séjournent dans les habitations, à la croisée des chemins, près des ponts et des sources, dans les rizières, ainsi que dans chaque site mystérieux : arbre géant, grotte, rocher à forme fantastique, sommet de la montagne, fond du ravin. Outre les colonnes et les niches, qui ne sont pas à proprement parler des *pura,* temples, les nombreuses congrégations entretiennent un ou plusieurs sanctuaires importants.

Le *pura* n'est pas un monument couvert : les divinités qui descendent ne doivent pas y rencontrer d'obstacle. En revanche, il est entouré de murs; les démons, qui rasent le sol, sont inaptes à les franchir. Pour ces mêmes raisons, les accès en sont élevés, étroits, flanqués de statues grimaçantes d'agressivité, qui repoussent les intrus en leur renvoyant leur propre image. Le *pura* se compose, en général, de trois cours, trois murailles à franchir pour accéder à l'enceinte la plus sacrée. La première, *jaba sisi,* cour extérieure, n'est qu'une aire de transition, où ont lieu les spectacles lors des fêtes. Le fidèle pénètre dans la *jaba tenggah,* cour intermédiaire, en s'engageant dans l'étroit chemin qui traverse la *candi bentar,* pyramide fendue : il accomplit un geste initiatique en franchissant la montagne sacrée dont les deux moitiés s'écartent sur son passage. Trois préaux abritent le *gong,* la cuisine rituelle et le promontoire réservé aux membres principaux de la congrégation, descendants directs des fondateurs du temple. Le troisième portail, *paduraksa,* triangle monumental de pierre ciselée, se pare du visage monstrueux de Bhoma, fils d'Uma, déesse de la terre. S'engager sous la figure de Bhoma, c'est entrer dans la caverne, le *jeroan,* sanctuaire intérieur. Le fidèle oriente son côté gauche vers le mur d'enceinte et son côté droit vers la personne qu'il croise, en direction de l'intérieur de l'aire sacrée, où se dressent les pavillons destinés à accueillir les prêtres et les offrandes. Au fond s'élèvent les demeures des dieux alignées en deux rangées qui se coupent à angle droit : les *méru,* hautes pagodes dont les toits en nombres impairs symbolisent les étages du ciel; les *gedong,* niches surélevées contenant les réceptacles des divinités. Dans l'angle qui pointe vers le Gunung Agung, le *padmasana,* trône de fleur de lotus dédié à Siwa, attend son maître. Aucun dieu n'est représenté; les statues gardiennes des autels ne sont que des soldats de pierre; les *arca,* figurines enfermées dans les *gedong,* sont de simples réceptacles occasionnels : les divinités propriétaires des lieux restent sur la réserve, derrière leur barrière d'invisibilité.

Bhatara Kala, dieu du temps, interfère avec l'espace et règle le rythme d'apparition des divinités ou des démons. Le calendrier résulte de la superposition de l'année *wuku* et de l'année *saka.* L'année *saka* se conforme aux révolutions du soleil, aux phases de la lune, et se divise en douze mois. Chacun va d'une lune morte à l'autre, suivant deux périodes contraires : la première monte vers la pleine lune, la seconde en descend. L'année *wuku* se compose de trente semaines, soit six séquences de trente-cinq jours; les deux cent dix jours se segmentent encore en intervalles de un à dix, qui se répètent simultanément. Chaque jour balinais s'oriente ainsi par rapport à différents cycles qui se chevauchent. Dieux, démons, nombres, étoiles, arbres, animaux, maladies interviennent aux nœuds de ce réseau.

Nyepi, jour qui inaugure la nouvelle année *saka,* ouvre

la porte aux démons. Rien ne bouge; les enfants restent assis au milieu des routes; aucun moteur ne tourne : il est interdit de faire du feu, ne serait-ce qu'une étincelle.

Dans l'année *wuku,* outre les *odalan ring pura,* anniversaires des temples, un jour sur cinq en moyenne est l'occasion de cérémonies privées. Par bonheur, certaines journées sont notées « T.G. », *tampa guru,* sans maître, ou « R.T. », *rangda tiga,* trois sorcières : les activités rituelles y sont alors déconseillées. L'île entière célèbre certains jours à dates précises; dieux et ancêtres sont invités à cohabiter avec la population en fête durant les dix jours du *galungan,* le Jour de l'An *wuku.* Le temps balinais ressemble au foisonnement incessant de la végétation tropicale dont les cycles, en l'absence de contrastes saisonniers, se déroulent indépendamment les uns des autres. La musique balinaise témoigne également de ce décentrement de la temporalité : les séquences se chevauchent; chacune de leurs intersections définit une nouvelle origine rythmique.

Au matin du premier jour de l'*odalan ring pura dèsa,* anniversaire de la fondation du temple du village, les hommes sacrifient les cochons : leur viande est destinée aux offrandes aux divinités inférieures et au repas collectif précédant l'invocation des dieux. La nourriture rituelle, divisée en parts égales, est placée sur la plate-forme du *balé agung,* le grand préau de la cour intermédiaire. Les portions sont disposées en deux lignes parallèles. Chaque part, destinée à quatre personnes, contient une demi-sphère de riz, diverses sortes de hachis et de brochettes.

Les *pemangku* avertissent les dieux que le banquet va commencer; les *kerama dèsa,* descendants des fondateurs du village, s'assoient en deux rangées qui se font face. La place de chacun, le nombre de brochettes qui lui revient dépend de son degré de parenté avec l'ancêtre de la congrégation.

L'après-midi, les fidèles, habillés de neuf, envahissent le sanctuaire. Les hommes serrent leur taille dans l'*umpal,* écharpe sans laquelle ils n'oseraient pénétrer dans l'enceinte sacrée. Les *pemangku,* vêtus de blanc, portent montre et lunettes noires pour se donner de la prestance. Ils accèdent aux *gedong* par des échelles, et en retirent les *arca,* figurines de bois de santal, futurs réceptacles des divinités. Les *arca* sont parées puis déposées sur un autel collectif où s'empilent de nombreuses offrandes.

Le *Pedanda Siwa,* grand prêtre de Siwa, arrive avec sa suite, il s'installe sur le promontoire du *balé pyasan,* préau le plus élevé, puis se coiffe de sa tiare et exécute le rite par lequel il s'identifie à Siwa. Il ne daignera pas participer plus longuement aux cérémonies.

Pendant ce temps, les *pemangku* exhortent les dieux à descendre le long du chemin que trace la fumée de l'encens. Les femmes à genoux chantent à l'unisson :

« O Dieux royaux, nous sommes à vos pieds,
Sentez les odeurs subtiles des offrandes.
Dieux et déesses, en habits étincelants,
Planent dans le ciel.
Nous sollicitons tous votre générosité. »

Le *kulkul* retentit pour annoncer l'arrivée des dieux; les musiciens du *gong* entament les morceaux *lelambatan* aux phrases lentes et répétitives.

Hommes assis jambes croisées, femmes à genoux sur la terre battue font *mebakti :* ils prennent par trois fois une fleur à l'extrémité de leurs mains jointes, l'élèvent jusqu'à leur poitrine, leur front et au-dessus de leur tête. Les *pemangku* les aspergent d'eau lustrale; ils la recueillent dans le creux de leurs mains et s'en purifient le visage.

L'*odalan* se poursuit durant deux jours et deux nuits. Grâce à un roulement, tous les groupes de la congrégation peuvent exposer tour à tour leurs offrandes en bonne place. Chaque famille délègue trois femmes pour apporter trois sortes de dons rituels : fruits, gâteaux et viandes. Le *kulkul* appelle les femmes d'un même quartier à se rassembler; les unes derrière les autres, elles se dirigent vers le temple, portant sur leur tête les tours bariolées qu'elles viendront chercher le lendemain; les ingrédients comestibles seront alors consommés en famille.

L'après-midi, les hommes se consacrent aux combats de coqs dans la cour extérieure; la nuit, les spectacles qui s'y déroulent accentuent encore l'effervescence rituelle. Un simple mur sépare la *pendèt,* danse sacrée des porteuses d'offrandes, et les chorégraphies à la dernière mode; la musique discrète du théâtre d'ombres est submergée périodiquement par le martèlement du *gamelan* qui accompagne la représentation donnée à l'extérieur; le tintement de la cloche des *pemangku* et l'aboiement des chiens montent ensemble vers le ciel. Les divinités, comme les Balinais eux-mêmes, n'apprécient pas l'ordre linéaire; elles préfèrent la merveilleuse impression d'abondance qu'engendrent les activités simultanées.

Avant le durcissement de l'autorité néerlandaise, au début du siècle, les grands prêtres siégeaient encore comme juges au palais de justice de Klungkung. Malgré la perte de ce privilège, la caste *brahmana* est la seule de la noblesse à n'avoir jamais été mise en péril dans sa fonction principale, le sacerdoce. Parmi ses membres sont ordonnés les *pedanda,* les grands prêtres. Cette caste se divise en deux lignées : celle de Siwa et celle de Buddha. Les *Pedanda Buddha* se sont spécialisés dans le culte des formes inférieures des divinités et abandonnent le monde céleste à leurs homologues siwaïstes.

Chaque caste a obtenu le droit d'engendrer des prêtres, à la condition que leur domaine n'empiète pas sur celui des *pedanda.* A l'origine, ils n'intervenaient qu'à l'occasion des rites de la Cour, mais de nos jours ils officient dans toutes les cérémonies majeures, quel que soit le rang des organisateurs. Dans la réalité, la plus grande part des travaux rituels incombe toujours aux *pemangku,* officiants issus en majorité de la caste *sudra.*

Le *Pedanda Siwa* trône au sommet de la hiérarchie cléricale. Avant d'être ordonné, il étudie les *wéda* qui comprennent, outre les quatre textes indiens du même nom, des recueils de *mantra,* énonciations sacrées en langue sanskrite, des hymnes et des traités sur les dieux et la cosmologie. Il s'initie aux *tutur,* textes ésotériques où sont situés les multiples *loka,* lieux de séjour des âmes. Le futur *pedanda,* sous la direction d'un maître, apprend à interpréter les textes épiques dont les héros, tels les frères Pandawa, sont fils des dieux. Il se familiarise avec les *mudra,* gestes sacrés des mains, et s'exerce au maniement des instruments rituels : lampe à huile, récipient d'eau bénite, encensoir. De surcroît, il possédera une « arme », *gènta,* la cloche, qui ouvre la voie menant les divinités du ciel à la terre. Le rite auquel il est initié a pour but de faire entrer Siwa en lui; il peut alors préparer l'eau lustrale en consacrant flamme, riz, eau, fleurs, encens, représentations des cinq éléments du cosmos. Cette eau lui servira de monnaie d'échange avec la société des fidèles à laquelle elle est indispensable : la religion balinaise est souvent appelée *agama tirta,* religion de l'eau.

A son réveil, le grand prêtre Ida Peranda prend un premier bain d'eau de source, démêle ses longs cheveux gris et noue son chignon, protégeant le sommet de son crâne, porte d'entrée de Siwa. Personne ne doit s'interposer entre sa tête et le ciel. Quand il se met en route, tout habillé de noir, à pas mesurés, même s'il pleut, il emprunte toujours les chemins élevés. Passager d'un véhicule qui doit passer sous un pont, il le fait arrêter et contourne à pied l'obstacle potentiellement impur. Jamais il ne pourrait habiter les maisons des villes où se superposent les étages.

A la différence de la plupart de ses congénères, il réussit à porter une barbe abondante, semblable à celle de ses ancêtres brahmanes de l'Inde.

« Je suis le seul de la région à ressembler à un singe ! » dit-il en riant à sa fille qui lui apporte le déjeuner qu'elle a cuisiné : riz, légumes et poulet frit. Le poulet lui a été offert vivant en échange d'eau lustrale. Il ne peut accepter que des nourritures antérieures à toute souillure et des vêtements qui n'ont encore jamais été portés. Ida Peranda ne consomme aucune chair provenant d'animaux à quatre pattes, et surtout pas de bœuf : « Manger du bœuf, ce serait manger mes parents, ou me manger moi-même ! La vache Nandi n'est-elle pas la monture de Siwa ? »

A Bali, l'homme vit au carrefour du divin et de l'infernal, mais il n'est homme que par rapport à la société : c'est là son éternité, sa limite et son pouvoir. L'individu, dès son apparition dans le ventre de sa mère, est engagé sur une voie ponctuée de rites, lesquels visent à le faire passer à un statut toujours supérieur. La femme en période de menstruation, la femme stérile, la veuve, le couple sans enfants, les célibataires, tous ceux qui ne sont pas en mesure de perpétuer la lignée ancestrale sont mis hors du système religieux et social. En revanche, la mère reçoit des offrandes jusqu'au terme de sa grossesse : une société agricole connaît le prix de la gestation.

Le nouveau-né est un ange : déjà trop humain pour être un dieu, mais encore trop divin pour être un homme. Il ne naît pas seul; *kenda empat,* quatre amis l'accompagnent : le sang, le liquide amniotique, le cordon ombilical et le placenta. Pour un garçon, ces amis sont des frères; pour une fille, des sœurs. Selon cette même conception, la mise au monde de jumeaux de sexes opposés est cause d'impureté rituelle : n'ont-ils pas copulé dans le ventre de leur mère ?

Le nouveau-né, toujours gardé en position haute, est préservé du monde infra-terrestre; en contrepartie, ses quatre amis y sont aussitôt logés, à l'intérieur d'une noix de coco enterrée dans le sol de la cour. Le dieu des enfants, Sang Hyang Kumara, veille sur son berceau. Le bébé touche enfin terre lors de la *telubulanin,* cérémonie des trois mois; il est mis en contact avec divers animaux, fruits et objets, manifestations de son territoire d'ici-bas. Son premier anniversaire a lieu après une révolution de l'année *wuku;* outre les titres désignant son sexe, sa caste ou son clan, son ordre de naissance, il reçoit un nom propre, conventionnel s'il est de haute caste, original ou même fantaisiste s'il est *sudra.* Son identité est d'autant moins marquée qu'il fait partie d'une famille dominante, à vocation fonctionnelle. Son nom, la marque de son individualité, lui servira peu : les rares fois où il sera interpellé solennellement, à la troisième personne, il le sera par ses titres. A l'intérieur de son groupe, on l'appellera *adi,* petit frère; *beli,* grand frère; *mbok,* sœur; *bapak,* père; *ibu,* mère. La société le désignera plutôt par le nom de ses enfants que par le sien propre : père ou mère de un tel. A Bali, être géniteur de quelqu'un élève déjà au statut d'ancêtre, ce qui vaut mieux que d'être simplement soi-même. A trois ans, l'enfant atteint sa majorité religieuse : son décès implique déjà une cérémonie d'incinération.

Avant le mariage, jeunes gens et jeunes filles se prêtent à une opération rituelle, le *mesanggih,* limage des dents; elle vise à juguler les *sad ripu,* six ennemis : luxure, jalousie, colère, mensonge, vanité et cupidité, représentés par les six dents supérieures.

Les adolescents se couchent; leurs parents les couvrent de tissus neufs et leur maintiennent les poignets. Les prêtres se placent à la tête des lits, coincent un tronçon de canne à sucre entre les mâchoires des patients, et attaquent leurs dents supérieures à coups de lime. Les râclements caverneux font frémir l'assistance. Les adolescents grimacent, transpirent et se raidissent. A l'aide de pinces coupantes, les prêtres brisent la moitié des quatre incisives et des deux canines, et les égalisent à la lime. Les initiés se relèvent et, passant ainsi à l'âge adulte, mordent dans une chique de bétel. Fiers d'avoir gravi un nouvel échelon vers le divin, ils admirent dans un miroir leurs dents courtes et régulières que ni les divinités, ni les hommes, ne pourront plus confondre avec celles d'une bête sauvage.

Quand les Balinais se marient et ont des enfants, ils se trouvent à la croisée des rites de passage : ils doivent assurer les cérémonies funéraires de leurs parents comme les rituels d'initiation de leurs enfants. En contrepartie, leurs parents et leurs enfants deviennent leurs serviteurs dans la vie quotidienne. L'amour romanesque tient une grande place à Bali, mais le mariage n'en reste pas moins une manière d'intérioriser les lois. A la différence des sociétés bourgeoises, l'alliance entre Balinais n'est pas un échange réciproque d'intérêts matériels, mais une conversion symbolique dirigée vers leur lignée fondatrice. Les individus, en se mariant si possible à l'intérieur de leur propre groupe, soutiennent leur prestige sans freiner l'évolution sociale tournée vers la diversification.

Une délégation de villageois vient consulter Ida Peranda pour un problème de rituel funéraire : un des leurs a été tué dans un accident de la route. Ida Peranda leur déclare, d'un ton doctrinal : « Le livre Yama Tatwa contient les lois du prince des Enfers. Toutes les catégories de décès y sont notées, avec les rites appropriés : la mort en rêvant, la mort en tombant... Certains meurent *salah pati,* en commettant une faute — s'ils se suicident par exemple. Mais la mort par accident de la circulation n'existait pas du temps où Yama enseignait aux hommes. »

Ida Peranda prend un air malicieux et continue : « Il faudrait donc inventer une nouvelle science, que nous pourrions appeler, en indonésien, *"ilmu mati naik motor",* science de la mort dans un véhicule à moteur ! » Au milieu du fou rire général, Ida Peranda essuie ses larmes et conclut : « En attendant de prendre de nouvelles dispositions, suivez le rituel correspondant à *salah pati.* »

En réalité, à Bali, la mort est un drame. Les proches du défunt sont affligés, tapent des pieds et pleurent de douleur. La famille se persuade que le mort n'est qu'endormi : elle continue à préparer ses repas, à lui offrir des chiques de bétel.

Au cours de la *mebersihan,* cérémonie de purification, le mort est dénudé, lavé par ses enfants. Le prêtre est seul habilité à s'occuper de sa tête, dernier siège de l'âme devenue errante; il la masse avec des huiles et la peigne. Ses collatéraux viennent ensuite lui rendre hommage en l'aspergeant d'eau lustrale. L'ordre de préséance, suivant le degré de parenté avec le défunt, rappelle celui auquel le groupe obéit lors des dévotions envers ses ancêtres, dans son temple d'origine. Comme les divinités sont attirées par les fidèles sur les lieux sacrés, l'âme non encore purifiée doit être retenue près du corps : l'officiant travestit le cadavre, lui fixe une fleur sur le front, des débris de verre sur les yeux, de la cire dans les oreilles, des fleurs dans les narines, de la gomme savoureuse dans la bouche, autant de métaphores des facultés et des sens. Le corps, entouré de tissus neufs, est alors empaqueté et déposé sous le préau orienté à l'est de la demeure. Les cérémonies qui suivent jusqu'au terme des rites de purification des âmes ont, plus que toute autre, une valeur d'exemple : elles mettent en scène publiquement les différentes prérogatives religieuses des membres de la société. Ceux qui appartiennent aux castes supérieures doivent bénéficier sans tarder de l'incinération; les Balinais de caste *brahmana* ne sont même pas enterrés, comme le sont provisoirement les *sudra.* L'édifice rituel dans lequel le corps sera transporté jusqu'au lieu de crémation et le sarcophage dans lequel il sera brûlé se conforment au rang de chacun : le *sudra,* sauf s'il est affilié à des clans prestigieux, sera transporté dans une pagode à un seul toit et brûlé dans une effigie de dragon, de poisson, ou dans une simple boîte décorée; le *kasatria,* transporté dans une *badé* — tour pouvant atteindre vingt mètres de hauteur — sera brûlé dans l'effigie d'un taureau noir; le *brahmana,* transporté dans un *padmasana,* siège en forme de fleur de lotus, reproduction de celui qui s'élève dans chaque temple, sera brûlé dans l'effigie d'une vache blanche. Le rituel réservé aux *wésia* se situe entre celui des *sudra* et des *kasatria.* Les cérémonies étant très coûteuses, les *sudra* les organisent collectivement, et déterrent les ossements qui ont parfois attendu plusieurs années. Le hameau, le village profitent si possible de la crémation d'un noble, pour y adjoindre leur propre cérémonie d'incinération.

Depuis plus d'un mois, le village prépare trente crémations, en même temps que celle de Cokorda Agung, arrière-petit-neveu de l'ancien prince de la région. Les parents éloignés sont également mis à contribution, et viennent tous les jours aider à fabriquer des constructions en bambou, recouvertes de décorations en papier, coton et fil colorés. Malgré cette main-d'œuvre, il a fallu faire appel aux villageois voisins pour continuer le travail dans les rizières. La dette finale sera lourde, spécialement pour la famille de Cokorda Agung : environ cinq millions de centimes. Elle ne peut avancer les fonds nécessaires, mais elle se doit de faire travailler un architecte et une équipe de charpentiers pour construire la *badé* haute de quinze mètres. La *badé* représente le cosmos : à la base, la tortue Bedawang Nala et le serpent Antabhoga; au milieu, la terre, symbolisée par le visage monstrueux de Bhoma, flanqué de flammes immenses. Au-dessus de Bhoma prendra place le cercueil lors de son transport vers le cimetière. Surmontant l'ensemble, Garuda, oiseau guerrier, monture de Wisnu, soutient neuf toits qui vont en se rétrécissant vers le sommet, neuf étages célestes que l'âme peut gravir pour atteindre son *loka,* lieu définitif.

A dix heures du matin, chaque procession se met en route vers le lieu d'incinération. Le cercueil de Cokorda Agung est transporté sur un pont en bambou, de l'intérieur du palais jusqu'au centre de la *badé* qui s'élève à l'extérieur. Trois cents porteurs l'arrachent du sol et partent en zigzaguant. Certains membres de la famille royale, marins accrochés au navire, sont montés sur la tour et veillent à ce que le cercueil ne glisse pas. Le *naga banda,* serpent qui sert de lien entre ce monde et l'autre, est transporté derrière la tour. Son corps de velours rouge a, après une opération rituelle de la plus haute difficulté, avalé provisoirement l'âme du défunt : le *Pedanda Siwa* qui en est responsable est venu spécialement de Dawan, localité proche de Klungkung, « pépinière » des grands prêtres les plus réputés. Le cortège se termine par le taureau noir à cornes d'or, soutenu par cent porteurs.

La foule crie, les porteurs suent et roulent des yeux exorbités, la famille rit nerveusement. La procession des *sudra,* avec ses pagodes et ses dragons, rejoint celle de Cokorda Agung à la croisée des routes.

Par les mélodies cristallines que chantent leurs métallophones à quatre lames, les orchestres *angklung* charment les âmes afin qu'elles ne s'éloignent pas. L'atmosphère est électrique; la *badé* fait trois tours en plein milieu du carrefour. Le service d'ordre, muni de « talkie-walkies », cède à la panique; la tour penche, mais reprend son équilibre de justesse. En fait, cette manœuvre est préméditée, elle est destinée à égarer les esprits démoniaques qui rôdent encore autour du corps. Arrivé à destination, le cercueil est descendu du monument, et fait trois fois le tour du taureau avant d'y être introduit. Le corps est délivré du long suaire qui l'entoure; les proches lui offrent des pièces de monnaie *kepèng,* une barque et un arc miniatures qui l'aideront à faire un bon voyage dans l'au-delà. Le *pedanda,* de son côté, entre en méditation, prend un arc et tue symboliquement le *naga banda,* qui exhale l'âme prisonnière. Les œuvres d'art monumentales sont déjà léchées par les flammes. Un groupe de touristes, qui avaient jugé bon d'escalader la tour pour mieux utiliser leur zoom, sont sauvés de justesse. En quelques minutes, les constructions disparaissent en fumée, accompagnées des trente dragons des *sudra.* Assis sur le sol au milieu de la foule qui se disperse, les officiants chantent les poèmes qui orientent les âmes dans leur périple. Le cadavre de Cokorda Agung est trop frais; il se consume moins vite que l'effigie qui le contient. La famille princière, armée de perches de bambou vert, frappe la chair noircie, encore retenue par l'armature de fil de fer, et en fait tomber les restes dans le brasier.

Au cours de l'incinération rituelle, l'excitation des participants ne provient pas de leur joie à imaginer les réincarnations futures; elle est plutôt liée à leur peur de mal exécuter ce rite, principal fondateur de leur religion et de leur système social. Si la crémation a été réussie, les âmes ont perdu leur individualité et sont passées au stade indifférencié qui caractérise le divin. Les rituels de purification se poursuivent encore; les cendres et les réceptacles des âmes sont portés à la rivière et à la mer.

Après plusieurs années de cérémonies, les âmes, devenues infiniment subtiles, sont enfin conviées par leurs descendants à jouer leur rôle d'ancêtres divins.

Figure de wayang kulit : *Kayonan*

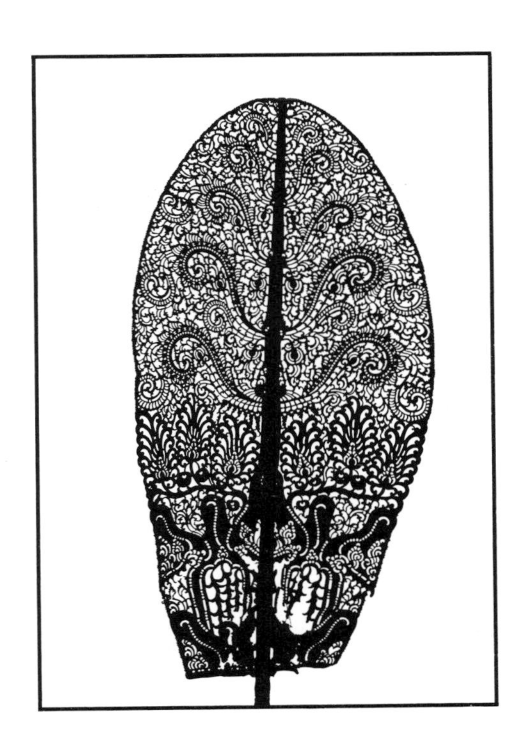

2

4

3

5

6

10

11

12

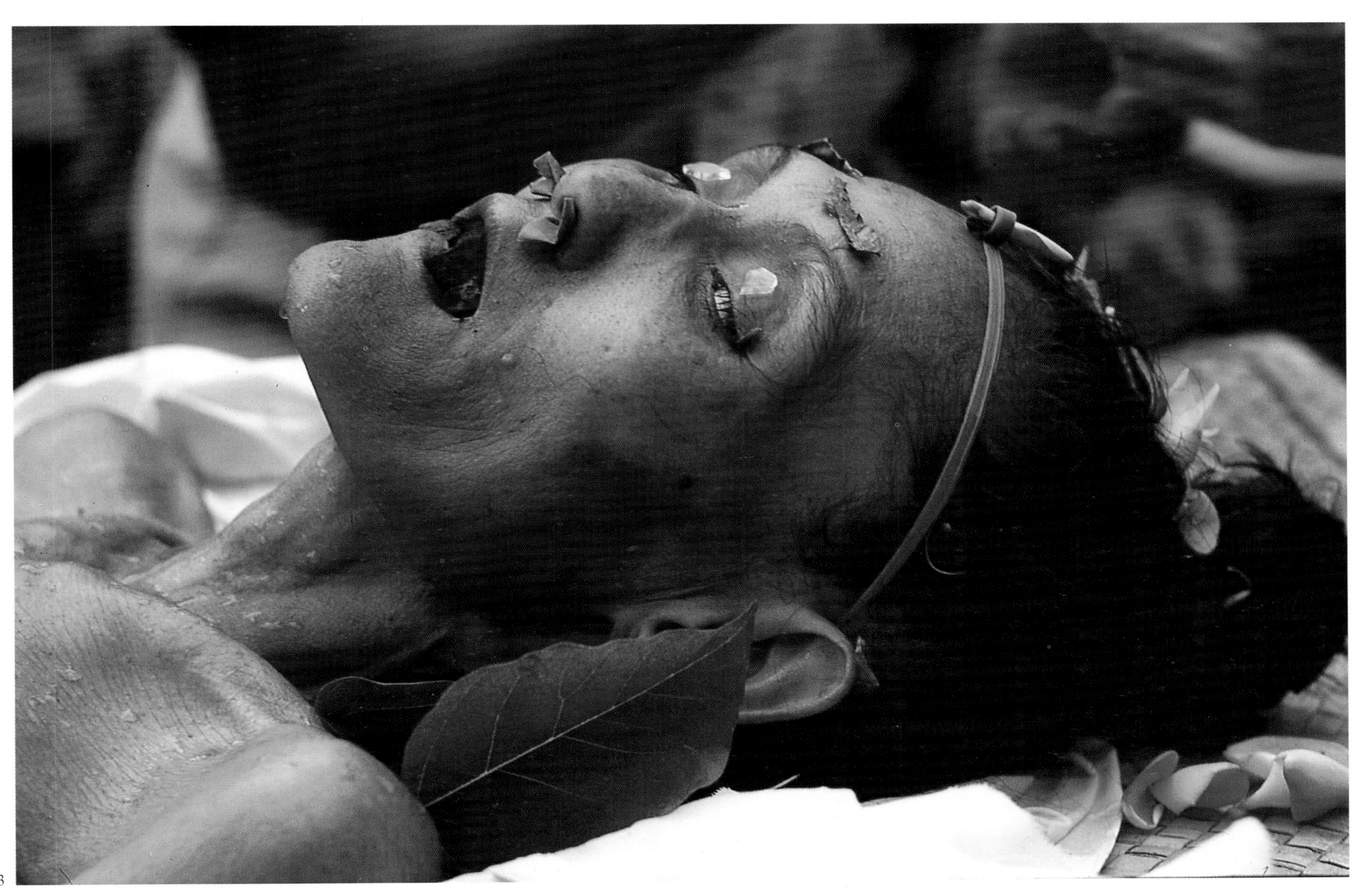

13

Légendes

1 Le temple Gunung Kawi, « montagne de la connaissance poétique ». Sebatu, 1977.

2 Le temple de Tanah Lot. 1973.

3 A l'occasion de la cérémonie *melasti,* les femmes en procession vont purifier à la mer les objets sacrés, réceptacles des dieux. Légian, 1973.

4 Les musiciens du *gamelan angklung* portent les métallophones, tout en les percutant, au cours d'une cérémonie de purification. Bangli, 1975.

5 Détail d'une offrande *bebangkit* en pâte de riz coloré, exposée lors d'une cérémonie dans un des temples du complexe de Besakih, 1977.

6 Les femmes, à la file, portent les offrandes *gebogan* au temple, à l'occasion de son *odalan,* cérémonie d'anniversaire. Sempidi, 1977.

7 Une fidèle tient en équilibre sur sa tête un *dulang,* support d'offrandes, lors d'une cérémonie de purification. Bangli, 1975.

8 Comme la divinité est supposée le faire, un enfant butine le « pollen » des offrandes, au temple de Taman Sari. Mas, 1978.

9 Le *penataran agung,* sanctuaire principal du complexe de Besakih, au flanc du volcan Gunung Agung, 1978.

10 Statue de *Patih,* guerrier sacré, gardienne d'un temple de Kintamani, 1978.

11 Délem est bien connu pour ses méfaits, qu'illustre le théâtre d'ombres. Cela ne l'empêche pas d'enfiler son bracelet-montre, de se pétrifier et d'offrir ses services comme sentinelle du temple. Kintamani, 1975.

12 Cérémonie de *mebersihan,* purification du défunt. La morte a été lavée par sa famille, puis recouverte de vêtements neufs. Les parents proches l'aspergent d'eau bénite l'un après l'autre à l'aide d'un *lis,* goupillon, rameau de jeunes feuilles de cocotier tressées à la base et se terminant en fouet. Sangsi, 1977.

13 Le prêtre a paré le visage de la morte pour qu'il donne l'illusion de la vie : chaque organe des sens est remplacé par un ingrédient spécifique. La pensée elle-même reste présente, grâce à la *karawista,* ceinture d'herbe *lalang* qui entoure le front. Sangsi, 1977.

14 Ida Peranda Nyoman Gedé Sanur consacre l'eau bénite. Après avoir récité intégralement les *mantra,* formules sacrées, il fait sonner sans arrêt sa cloche, met ses mains dans les nombreuses attitudes des *mudra,* et disperse dans toutes les directions les pétales trempés dans l'eau consacrée. Celuk, 1977.

15 Une *ngabèn,* incinération collective de *sudra.* Sur les lieux mêmes du cimetière où ils ont été enterrés, les corps ou leurs effigies sont brûlés dans des sarcophages en forme de *Singha,* lion ailé. Région de Klungkung, 1975.

16 Dans son sarcophage combustible à l'aspect terrifiant, le corps part en fumée. Les *panca maha bhuta,* cinq grands éléments qui le composent, feu, terre, eau, air, éther, peuvent ainsi reprendre leur place dans le cosmos. Région de Klungkung, 1975.

1

Ida Bagus a quitté sa demeure de Celuk pour rejoindre quelques amis dans la presqu'île septentrionale de Bukit. Ils s'approchent du précipice rocheux qui surplombe l'océan Indien, retenant avec peine les offrandes que le vent tente de leur arracher. Au bout du plateau désertique où Bayu, dieu du vent, cingle les cactus, le temple d'Ulu Watu se découpe au bord de la falaise. Après avoir fait leurs dévotions à Baruna, dieu instable de la mer, ils quittent le temple, descendent vers l'océan par un chemin à peine esquissé dans la paroi verticale, et s'arrêtent enfin devant un rocher rond, à quelques mètres des vagues. Les hommes le font pivoter, découvrant un orifice dans lequel ils s'engagent l'un après l'autre; les deux derniers restent à l'extérieur et replacent le rocher devant l'entrée de la grotte. Les initiés, à la lueur des lampes de poche, s'engagent en rampant dans un boyau étroit et bas, s'aidant mutuellement à transporter les offrandes. Ils débouchent sur une salle au fond de laquelle se trouve un serpent de dix mètres. Ils disposent les offrandes autour de lui, s'assoient et commencent à réciter les formules magiques. La chaleur humide les étouffe, mais les pouvoirs de Naga, le serpent, commencent à les pénétrer; la sueur s'évapore de leur peau, leur perception de la réalité se transforme. Pendant trois jours, et trois nuits, Naga, sans changer de place, leur servira de guide à travers le cloaque du monde infernal.

L'intégrité de la religion balinaise actuelle n'est entamée par aucune secte, aucune dissidence; l'idéologie Hindu Dharma a récupéré de son mieux toutes les tendances qui auraient pu la mettre en péril. Les formes les plus aimables des dieux ont leurs homologues parmi les plus terribles. Les places et les fonctions des ancêtres divinisés et des hommes sont si précisément différenciées et hiérarchisées que rien ne semble pouvoir échapper aux lois qui les régissent. Cependant, cette unité idéale et intégrante est travaillée de l'intérieur par son autre, comme le divin l'est par le bestial. De la même manière, les réseaux célestes de la religion sont minés par ceux, occultes, de la magie, taupe du soleil. Autant la société balinaise est collégiale, tournée vers ses origines intérieures, autant le flux magicien est individualiste, débridé et avide d'étrangeté. A Bali, la magie n'est pas un dogme, mais un acte qui se laisse difficilement définir; elle échappe à la codification rituelle et surprend même ceux qui la pratiquent. Le pouvoir de la magie s'oppose ou s'intègre à celui de la religion; il en est parfois la négation radicale, souvent le complément, selon le degré d'institutionnalisation auquel il est élevé, ou auquel il accède par un coup de force. L'opération magique n'aboutit jamais à la subversion pure et simple de l'idéologie officielle; elle établit avec elle des relations faites d'échanges, de reconnaissances mutuelles ou d'actes d'agression. Cet équilibre complexe, sans cesse remis en question, empêche les structures sociales de se geler, et accentue la dynamique nécessaire à leur évolution. Privée des pulsions déstabilisatrices, la société balinaise serait trop bien réglée et pourrait devenir invivable, inhumaine parce que trop conforme à l'image idéale qu'elle se donne d'elle-même.

les magiciens et leurs pouvoirs : la fête des démons

Les héros divins du panthéon des Brahmanes ne font pas toujours bon ménage avec les maîtres du bouddhisme tantrique, bien que les uns comme les autres n'aient rien à s'envier en matière de sorcellerie.

Au XIe siècle, les sectes tantriques, et spécialement celles du bouddhisme, servent les ambitions des souverains de Java-Est et de Bali. Le tantrisme leur donne la clef des univers infernaux et leur permet de s'associer aux monstres sanguinaires, souvent d'apparence féminine, qui engendrent la mort, comme les femmes la naissance. Sublimant à peine les rites magiques locaux, axés sans doute sur le dialogue avec les morts, le culte tantrique des divinités cruelles Bhairawa et Bhairawi accroît le pouvoir de ceux qui s'en font les adeptes, inspirant la terreur aux non-initiés.

Malgré leur figure hideuse et leur caractère subversif, les anciens chefs, propriétaires du territoire balinais, n'ont, après dix siècles, rien perdu de leur popularité, tel qu'en témoigne, entre autres, le rite des *barong landung.*

De nombreux *pura dalem,* temples des enfers, abritent un couple de *barong landung,* poupées sacrées hautes de trois mètres. L'une représente le souverain Jero Gedé, l'autre sa femme, Jero Luh. Dans le centre de Bali, elles sont identifiées à Dalem Bulingkang et sa femme chinoise, premiers rois établis sur le volcan Gunung Batur.

A l'occasion des cérémonies en hommage aux démons, Jero Gedé et Jero Luh prennent la tête d'une procession autour du village. Un acteur s'introduit à l'intérieur de chaque poupée à laquelle il prête ses jambes; il chante et parle par une ouverture aménagée au niveau du nombril. Jero Gedé et Jero Luh s'arrêtent périodiquement, se font face et interprètent une courte scène, accompagnés par un petit ensemble de métallophones.

Jero Gedé : « Ce soir, vous allez avoir droit à mes assauts, ma chère. »
Jero Luh : « Comment ? Avez-vous déjà contemplé votre ignoble face noire, vos dents longues et recourbées ? Je ne me laisserai pas faire. »
Jero Gedé : « Et vous-même, avez-vous déjà rencontré votre reflet dans l'eau : face blanchâtre, menton en avant, poitrine plate... »
Jero Luh : « C'est bien à vous de parler de poitrine ! Avec le ventre dont vous êtes affublé, vous ne pourriez même pas m'approcher de près, et j'en suis bien aise. »

Leur dialogue cynique, obscène, met à vif la relation sexuelle ainsi que la stérilité du couple démoniaque, inversion du rapport idéal entre Balinais et Balinaise, entre dieu et déesse. Leur anticonformisme en fait les vrais maîtres de la magie destructrice. Ceux qui pactisent avec Jero Gedé acquièrent de grands pouvoirs, mais en payent le prix.

A la lune morte du mois de décembre 1976, Nyoman loue une camionnette-taxi, traverse Dènpasar, la capitale, évite Kuta, longe l'aéroport et s'engage finalement sur une piste chaotique couverte de poudre blanche. Arrivé à Bualu, il franchit la porte de son ami *balian*, magicien, et lui fait part de ses pressentiments : « Je suis invité à Java central, mais j'ai peur. Les Javanais me veulent du mal, c'est sûr; je l'ai même constaté en écoutant la radio, dit-il au *balian* avec un air halluciné. Frère, je dois aller au lieu sacré, là où tu sais, pour invoquer le Maître. Il est déjà presque minuit. »

Par les rues désertes du village, ils se dirigent vers la mer. La bourrasque couvre par intermittence le hurlement des chiens. Un pêcheur les croise. Déjà apeuré par la nuit, il n'a pas l'air rassuré lorsqu'il entrevoit les habits noirs du *balian* et la face tourmentée de Nyoman dans le rayon de sa lampe. Le sentier, de plus en plus étroit, disparaît sous les pas des deux hommes. Nyoman continue seul son chemin vers la mer. Il est un lieu où nul ne peut mourir, car la mort s'y transforme instantanément en vie. Là, il s'assoit et commence à méditer. Quand il ouvre les yeux, deux énormes jambes noires se dressent devant lui. Tombant de haut, une voix grave et autoritaire le questionne : « Que me veut Nyoman, mon fidèle serviteur ? » Paralysé, Nyoman n'élève pas le regard vers la face grimaçante de Jero Gedé; il en perdrait la vue et la raison.

« Tu sais que les Balinais sont mes ennemis et que je méprise leurs croyances, rugit Jero Gedé. Mais n'aie crainte, continue le géant aux crocs aussi longs que des défenses d'éléphant, ici, sur cette île maudite, j'écarterai de toi tous les mauvais sorts. J'ai dit ! »

Avant que Nyoman ait eu le temps de lui faire savoir qu'il implorait sa protection à Java et non à Bali, le Maître s'était éclipsé.

Quelques nuits plus tard, les proches de Nyoman sont secoués dans leur lit par une gigantesque main noire aux griffes acérées. Une voix les interroge avec impatience. « Où est donc passé Nyoman ? Je ne le trouve nulle part. »

Ils répondent en tremblant que Nyoman est à Java. « Malédiction ! » hurle Jero Gedé, avant de disparaître. Au même moment, à Surakarta, ville du centre de Java, Nyoman tombe et ne se relève pas. Comme il l'avait craint, son âme a été emportée par les démons jaloux, ennemis de son maître.

Au XIVe siècle, les rois-prêtres de l'empire Majapahit soumettent les chefs-sorciers de Bali et donnent la priorité aux dieux de l'hindouisme, dont le caractère fonctionnel, héroïque et mondain, s'adapte à la société hiérarchisée qu'ils cherchent à dominer. Au contraire, le bouddhisme, qui dévalue le monde d'ici-bas au profit de celui qu'atteint l'ascèse individuelle, se met plus difficilement au service de la politique de prestige des *Raja*.

Malgré leur refonte en une même religion, les divinités diaboliques, réveillées par les formes tantriques de l'hindouisme et du bouddhisme, s'affrontent encore de nos jours. Au-delà des différences dogmatiques, elles représentent le combat des entités contraires : le duel entre Rangda et le Barong en est l'exemple le plus riche. Tous les *pura dalem* abritent Rangda, sorcière dangereuse, et son adversaire, le Barong, dragon protecteur. Rangda est représentée par un masque aux yeux exorbités, aux dents saillantes, surmonté d'une perruque de crin de cheval qui lui descend jusqu'aux genoux. Sa langue de feu tombe plus bas que son nombril; ses énormes seins factices pendent au milieu de viscères en tissu enroulés autour de son cou. Le Barong a l'aspect d'un monstre à tête de tigre, de sanglier, de cheval. Le plus commun est le *barong kékèt,* dragon-félin sans équivalent dans la nature. Le masque barbu, dont la mâchoire inférieure est articulée, se prolonge par un corps de cuir ajouré, doré et serti de miroirs, qui atteint cinq mètres de long. Une épaisse fourrure prolonge la carcasse jusqu'au sol. Deux acteurs animent le Barong de l'intérieur : l'un manipule le masque et ses jambes deviennent les pattes antérieures du Barong; l'autre incarne les pattes postérieures et supporte l'arrière-train surmonté d'une queue géante. De nombreux mythes s'approprient la guerre rituelle de Rangda et du Barong, qui remonterait au XIe siècle, époque des premières alliances tumultueuses avec Java. L'épopée la plus populaire est celle de la sorcière Calon Arang. D'un point de vue historique, Calon Arang est d'abord la princesse javanaise Mahendradatta, épouse d'Udayana, souverain de Bali. Leur fils Airlangga, « celui qui a traversé l'eau », règne à l'est de Java. Mahendradatta est accusée de sorcellerie maléfique. Est-elle à l'origine de la mort de son mari et des épidémies qui ravagent alors l'est de Java ? Elle est exilée, mais cela ne met pas fin à son influence néfaste. Son fils cherche à l'anéantir d'abord par la force, puis par le pouvoir magique que détient son maître spirituel, le sage Empu Bharada.

Quand Calon Arang devient Rangda, Empu Bharada se manifeste en Barong.

D'un point de vue religieux, Rangda est souvent associée à Durga, forme féminine et démoniaque de Siwa, et le Barong à Buddha. Quelles que soient les entités dont ils sont les représentants, Rangda et le Barong mettent en scène le drame de l'alternance entre pureté et impureté, santé et maladie, vie et mort. C'est Rangda que tous les Balinais ont aperçue au moins une fois, la nuit, courant les cimetières en quête de cadavres bien frais, et c'est le Barong qui chemine à travers le village au son des *gong,* pour enrayer une épidémie de variole.

Assise dans la cour extérieure du *pura dalem,* la foule est fébrile; elle tousse et crache, à cause de l'humidité de la saison, mais aussi par nervosité. Les jeunes enfants, d'ordinaire présents à toutes les cérémonies, ont été ramenés à la maison : leur âme, n'ayant pas encore de maturité religieuse, serait une proie facile pour Calon Arang. Un papayer mâle a été planté, pour la nuit, au centre de l'espace; il est l'arbre préféré de Rangda; l'un et l'autre se ressemblent : ils incarnent l'infécondité.

Dans la cour intérieure, le Barong trône sous un *balé;* un tissu blanc lui recouvre la face. Plus bas, émergeant des corbeilles dans lesquelles ils sont conservés en l'absence de cérémonie, apparaissent les costumes et les masques de Rangda et de sa servante Kalika, le crâne chauve de leur acolyte Pangpang, et les visages horribles des *sisia,* leurs disciples. Les acteurs prient au bas de la montagne d'offrandes que surplombent les masques, et ils se baignent dans la fumée des encensoirs. Ces artistes ne sont pas choisis pour leur virtuosité, mais en fonction de la *kesaktian,* leur énergie sacrée.

Dans la cour extérieure, le *gamelan,* semblable à celui qui accompagne les danses de cour *lègong,* entame l'ouverture du *bebarongan,* musique du *barong.* Sous un *balé* voisin, les vieux lettrés continuent de chanter et de traduire les textes de l'épopée de Calon Arang. Ils s'intéressent peu aux aspects anecdotiques du spectacle.

De l'autre côté du mur, les acteurs et les *pemangku* terminent leur méditation; deux danseurs entrent dans le Barong qui fait entendre un bruissement métallique et se met en marche, flanqué de deux officiants, chacun portant une ombrelle blanche brodée d'or. Les fidèles connaissent « leur » Barong dans les moindres détails, mais ils jubilent en l'apercevant. Il donne toutes les apparences de la vie : les mouvements vifs de son masque aux yeux protubérants animent son regard qui scrute l'espace dans toutes les directions; sa mâchoire, ornée d'une longue barbe noire, émet des claquements secs et espacés, qui s'accélèrent parfois jusqu'à un tremblement tétanique, produisant un son continu. Les pattes de derrière, comme par miracle, sont parfaitement synchronisées avec celles de devant; le danseur, à l'arrière, ne voit pas souvent les jambes de son partenaire de tête; il ne peut se fier qu'aux repères donnés par la musique. Le Barong parade, fait plusieurs tours sur lui-même. Pour amuser le public, il ajoute quelques variantes modernes à son comportement : il prend des allures de chien joueur, cherche à se mordre la queue. Les danseurs épuisent toutes les possibilités expressives de la marionnette, ainsi que leurs propres forces, et s'assoient, mettant le Barong en position de repos.

Rangda surgit dans l'encadrement du portail monumental. Elle avance à grandes enjambées et par saccades; elle rejette sa tête en arrière, lève les bras et pousse un long rire de gorge, aigu et haché. A la différence du Barong qui mimait le naturel, ses attitudes sont en perpétuelle rupture d'équilibre. Ses mains gantées agitent avec un désordre savant ses ongles longs de quinze centimètres, tels des élytres d'insectes en proie à la panique. Elle hurle, se prend les seins, fait plusieurs tours dans le sens inverse des aiguilles d'une montre et reste en équilibre sur son pied gauche. Elle vacille; les *pemangku* se précipitent pour la soutenir; elle entre en transe. Pangpang, sa comparse chauve, vient la relayer en attendant qu'elle recouvre ses esprits. Ses mâchoires s'ouvrent pour laisser fuser un rire satanique; elle virevolte, faisant flotter autour de son corps de vieille sorcière obèse de longs boudins de tissu rembourré qui figurent les intestins dont elle se pare.

Rangda se réveille; elle s'approche du Barong qui se relève et s'ébroue. Elle pointe le doigt vers lui et le questionne : « Je suis Sang Hyang Durga, reine de tous les esprits diaboliques. Il est midi, arrêtez donc de dormir ! Quel est votre nom, votre sexe ? Dites-moi quelles médecines vous donnerez aux hommes quand je les aurai tous anéantis ? Allez, répondez-moi ! »

Le Barong, manifestation de Banaspati Raja, roi de la forêt, habite le *waringin,* ficus géant et sacré. A midi, l'arbre ne projette pas son ombre au loin, et Banaspati Raja fait la sieste. Interrompu dans son sommeil, il se met en colère contre Rangda, et un long affrontement commence.

Certaines femmes de l'assistance tombent dans un état hypnotique; des spasmes les agitent; leurs voisines leur maintiennent les bras pour éviter qu'elles se lacèrent le visage; les *pemangku* accourent pour les assister.

Une vingtaine d'hommes, assis sur le sol, se purifient dans l'épaisse fumée du bois de santal, sous l'égide des officiants. Ils sont seulement vêtus d'un *saput polèng,* tissu à carreaux noirs et blancs qui entoure leur taille. Le *saput polèng* ceint également les statues gardiennes des autels; il est l'apanage des *Patih,* les guerriers sacrés. Il représente la stabilisation des puissances inverses : jour et nuit, droite et gauche; ce qui lui confère un caractère protecteur. Une fois prêts, les vingt *Patih* saisissent leur *keris,* se lèvent et s'interposent entre le Barong et Rangda qui éclate de rire, mais recule. Le spectacle de Calon Arang n'est pas seulement une représentation; certains acteurs, en incarnant la sorcière, ont payé de leur vie. Les *Patih* se jettent sur Rangda qui leur oppose son arme : une simple pièce de tissu blanc qu'elle tient dans sa main gauche. Ils se figent; elle l'agite dans leur direction. Comme des aiguilles aimantées qui inversent leurs pôles, les *keris* se retournent contre la poitrine de leurs propriétaires qui font *ngurèk,* se poignardent, possédés par Durga. Ils appuient à deux mains sur le manche de leur *keris;* le fer plie mais n'entre pas dans leur corps. Ils se roulent dans la poussière et pleurent de désespoir. La magie du Barong les protège à leur insu : les rares entailles saignent à peine et cicatrisent aussitôt.

Le Barong s'approche des *pemangku;* ils trempent sa barbe dans l'eau bénite et utilisent ses poils comme goupillon pour asperger les *Patih* qui se calment peu à peu. Rangda et le Barong retournent dans la cour intérieure, suivis par une partie des membres du temple. Rangda est raide, en transe, et les officiants doivent l'étendre à terre avant de parvenir à l'asseoir. Mangku Bonesa, le chef religieux de la congrégation, l'interroge avec déférence : « O Reine ! Quels sont vos désirs ? Avons-nous oublié quelque sacrifice ? Que pouvons-nous faire encore pour vous contenter ? » Rangda dodeline de la tête et laisse échapper quelques mots indistincts. Les *pemangku,* la jugeant satisfaite, consacrent les dernières offrandes, répandent des alcools sur le sol, et la décapitent lentement, découvrant le visage ruisselant de l'acteur hébété, exténué, la tête vide de tout souvenir.

La lutte de Rangda et du Barong peut être interprétée comme l'illustration d'une loi majeure de la société balinaise : la valorisation de la filiation paternelle par rapport à la lignée maternelle.

Rangda, en tant que veuve, est socialement infirme : d'après la coutume, elle ne peut se remarier. Ses filles l'ont quittée pour rejoindre la demeure de leur mari et elle n'a pas accès à ses beaux-fils. Dans l'imaginaire balinais, les seuls enfants qu'elle possède sont ceux qu'elle déterre, qu'elle ressuscite et à qui elle donne ses seins immondes à téter. Finalement, sa seule manière d'exister consisterait à voler le bien des autres, à les haïr, puisqu'elle ne peut les aimer.

Au contraire, le Barong est le génie masculin par excellence, le Maître de la Nature. Les Balinais, pour s'adresser à lui, utilisent les titres de Jero Gedé, propriétaire du territoire, ou Banaspati Raja, roi de la forêt, ce qui revient au même : la population a défriché avec une crainte respectueuse le domaine sylvestre pour y installer son propre espace agricole et rituel. Le Barong, à l'inverse de la veuve sorcière, est monstrueux parce qu'il contient la force animale débordante du géniteur originel. C'est en ce sens que les Balinais reconnaissent les propriétés prophylactiques du Barong : il est investi, sur terre, de la vertu fortifiante que lui confère, dans l'autre monde, son statut de divinité positive. Cette même vertu lui permet de sauver son armée de *Patih* en péril. Leur *ngurèk* s'apparente au suicide, impureté rituelle grave : son auteur est privé d'incinération, et perd la possibilité de s'élever vers le divin. Rangda provoque l'inversion de la loi rituelle. Cependant, le *ngurèk* n'est pas un suicide comme les autres. Rangda est la reine des vampires : dans l'incapacité à la vaincre, il est préférable de faire *puputan,* d'aller jusqu'au suicide rituel, plutôt que d'être tué ou capturé par un adversaire aussi impur. Le suicide que les *Patih* miment malgré eux s'apparente alors au *puputan* que les cours balinaises du Sud exécutèrent devant les armées hollandaises, au début du siècle. La violence des séances de *ngurèk* semble, au premier abord, contredire une donnée fondamentale de l'idéologie balinaise : la loi anti-cumul, qui fait en sorte de différer sans cesse le moment du paroxysme ou de la crise. En fait, le déclenchement exceptionnel des puissances retenues par le formalisme social est peut-être nécessaire à l'équilibre individuel et collectif. L'explosion de la violence pure, que rien ne semble annoncer, est une caractéristique célèbre de la civilisation malaise, qui nomme ce phénomène *amuk*. A Bali, l'*amuk* est ritualisé, codifié par la communauté qui le récupère. Une telle récupération est peut-être trop bien réussie; le flux est dévastateur quand le barrage craque : comment expliquer qu'une société si stable ait commis ou accepté le massacre de 40 000 personnes en 1965 ?

La guerre entre le Barong et Rangda ne peut avoir de fin, semblable en cela au Balinais qui, même après sa mort, n'en finit jamais de passer les épreuves qui le rapprochent d'une souveraineté inaccessible.

Ketut est vendeur de chaux à Dènpasar. Chaque fois qu'il rit, il découvre son unique dent en or plantée sur le devant. Il lui arrive de travailler dur, car il a trois femmes et de nombreux enfants. Pour oublier ses soucis, Ketut joue au cerf-volant ou va à la pêche. Un soir, il prend sa canne et se rend à Manang Maning, entre Dènpasar et Kuta. Sur le chemin qui mène à la rivière, il croise la vieille Mémèn Dayu. Il lui a déjà vendu de la chaux qu'elle utilise pour ses chiques de bétel. Il serre fort sa canne, car il a entendu dire que la vieille s'exerce à se transformer en *léyak*, esprit diabolique, et la canne à pêche est une arme efficace contre les *léyak*. Ketut s'assoit au bord de la rivière, dans l'obscurité. Se doutant qu'il est sur le domaine de la vieille, il déclare, d'un ton aimable : « Mémèn Dayu, il ne faut pas me déranger. Je ne suis là que pour pêcher, me distraire en prenant un ou deux poissons. Je te souhaite le plus grand bien. »

Quelques instants plus tard, il entend une noix de coco tomber. Il se lève, la cherche, mais ne la trouve pas. Il pense que Mémèn Dayu veut lui faire peur et retourne courageusement à côté de sa canne. Ketut vérifie au fond de sa poche que ses objets au pouvoir sacré s'y trouvent toujours : poils de tigre, dent de requin, pierre noire trouvée dans le ventre d'un poisson. Il se sent rassuré, mais sursaute au contact du museau d'une vache qui vient se frotter à lui. Il prend sa canne, se déplace le long de la rivière, mais la vache le suit. Il se retourne alors vers elle et lui parle avec douceur : « Je suis sur la bonne voie, alors, s'il te plaît, n'essaye pas de m'en faire changer et ne me dérange pas. Je te souhaite le bonsoir. Va donc t'amuser ailleurs. »

Mémèn Dayu, vexée d'être reconnue à chaque fois, se transforme en bicyclette et s'appuie sur un cocotier en plein milieu du chemin de Ketut.

« Tiens ! Il y a un vélo ici, s'exclame Ketut. C'est bien, je vais pouvoir rentrer avec. Ça semble quand même insolite, un vélo à cet endroit, si tard le soir... » Il le palpe dans l'obscurité, essaye la sonnette.

« Il n'y a rien à dire, c'est bien un vélo. Ça m'étonnerait que ce soit encore une astuce de Mémèn Dayu. Le mieux est de l'essayer. »

Il fait quelques dizaines de mètres sur la bicyclette et avance avec de plus en plus de difficultés. Les pédales se font dures, il commence à transpirer. Tout à coup, il se retrouve à cheval sur le dos de la vieille. Elle l'implore, se met à genoux, lui fait jurer de ne jamais rien raconter à personne.

« D'accord, répond Ketut, mais alors, aide-moi à attraper beaucoup de poissons. »

Mémèn Dayu s'éclipse et Ketut fait une pêche extraordinaire. Depuis cette nuit-là, il est ami avec Mémèn Dayu et invoque même parfois son nom afin qu'elle le protège des autres *léyak*.

L'imaginaire balinais est peuplé d'esprits qui habitent les champs, les arbres, le bord de mer et le lit des rivières. Le monde vivant foisonne de signes qui sont autant de présages. Cependant, les phénomènes qui effrayent le plus les Balinais sont les *salin rupa*, apparences changeantes que prennent les sorciers qui se transforment en *léyak*. Parfois invisibles, parfois revêtus d'une enveloppe animale, les *léyak* se manifestent couramment sous la forme du feu : boule enflammée dans le ciel, aura flamboyante au-dessus des cocotiers, singe incandescent.

Le feu est l'élément du *léyak*, car il est le plus bas dans la hiérarchie cosmique; le sorcier qui se transforme fait sortir le feu par tous ses organes. Les automobiles tombent en panne devant les cimetières, car les *léyak* n'ont aucune peine à s'approprier le feu du système d'allumage. Yama, prince des enfers, siège au sud de l'univers à côté de Brahma, dieu du feu créateur : de ce fait il est invoqué par celui qui veut consumer son adversaire. Seul le feu peut conjurer le feu; Sang Hyang Cintya, divinité de l'imperceptible, peut éteindre le feu des démons par celui qui sort des articulations de son corps.

L'inversion est le langage du diabolique : les *mantra*, formules d'invocation des dieux, deviennent des appels aux démons, si elles sont récitées à l'envers. De même, la position démoniaque est celle du renversement : le bas domine le haut. Les profanateurs de temple sont menacés de la pire des punitions : aller *tulah*, la tête à l'envers; les démons sont souvent représentés avec les pieds plus hauts que la tête.

Anak Agung de Peliatan raconte qu'un de ses amis a photographié, une nuit, une bande d'enfants moqueurs assis au bord d'une route dans un endroit insolite. La photographie, développée, aurait montré les enfants flottant cul par-dessus tête dans l'espace : il s'agissait bien d'une assemblée de *léyak*.

La magie destructrice peut se comprendre comme une revanche de l'insuffisance sociale ou physique : Rangda est veuve; le démon Kala Rauh est réduit à une tête prolongée d'un corps embryonnaire et sanglant. Si la magie est le lieu du manque, elle est aussi celui du surplus, de l'excès d'énergie sexuelle; dans ce domaine, diables et diablesses ne manquent pas d'appétit. Cependant, la stérilité est la contrepartie de cette puissance.

Wayan et sa femme habitent Busung Yèh, près du cimetière de Dènpasar. Il est chauffeur de taxi et elle, vendeuse au marché. Ils sont mariés depuis trois ans, mais elle n'a toujours pas montré signe de grossesse. En revanche, elle réalise des ventes surprenantes, à croire qu'elle exerce des pressions sur sa clientèle. Wayan la soupçonne de s'adonner à la *pangiwa*, la « magie de gauche », ou magie noire. Un soir, sous prétexte d'une course à Amlapura, il lui assure qu'il ne rentrera pas de la nuit, mais revient l'observer en cachette.

Elle porte un vêtement inhabituel : un drapé blanc, très court, qui remonte jusqu'en haut de ses cuisses. Ses cheveux longs sont rabattus en avant et cachent son visage. Elle se tient en équilibre sur la jambe gauche et agite bras et mains en tous sens. Elle profère des *mantra* à l'envers et à toute vitesse, se recommandant de la déesse Bagawati pour soumettre les démons à son commandement. Wayan remarque une ceinture de tissu sur laquelle elle pose la main gauche au cours des incantations. Il fait irruption dans la chambre, lui arrache la ceinture; elle s'évanouit. Il déplie le tissu, découvrant des morceaux de draps sales, sur lesquels sont dessinés des *rerajaan,* figures magiques. Wayan ranime sa femme; elle avoue avoir acheté les *rerajaan* à une sorcière réputée du village de Sanur qui avait gravé elle-même les lambeaux de linceul arraché à des cadavres exhumés la nuit. Elle a investi toutes ses économies dans ces *rerajaan,* mais la sorcière lui a affirmé qu'elle pourrait, grâce à leur pouvoir, se transformer en tout ce qu'elle voudrait, même en *badé.* Elle pourrait alors terroriser les autres, et obtenir d'eux ce qu'elle désire. Wayan divorce dans les jours qui suivent, sans avoir de difficulté à convaincre les autorités religieuses que sa femme le déshonore, lui et sa famille.

La *pangiwa* permet à certains de prendre une importance sociale en transgressant les lois de l'*adat.* Les adeptes de la *pangiwa,* et surtout les Maîtres, s'entourent de nombreux « amis », que l'intérêt ou la crainte entretiennent; ils s'enrichissent en vendant des marchandises qui disparaissent ensuite des mains de l'acquéreur. Profitant de la perversion éventuelle du commerce par la magie, la société balinaise dévalorise l'idée d'un élargissement du système des marchés, qui induirait des contacts avec des inconnus.

La *pangiwa* n'est pas seulement trompeuse; elle provoque également la mort. Tout événement, à Bali, est le résultat d'une volonté particulière : la maladie n'est autre que l'effet d'un envoûtement. Les *balian,* sorciers-guérisseurs, se sont opposés à la vaccination anti-variolique, quand elle fut proposée aux Balinais; actuellement encore, la grande majorité de la population fait rarement appel à la thérapeutique occidentale. Pour les *balian,* toutes les maladies, du moins celles des Balinais, sont des conflits spirituels : les symptômes sont l'expression d'un esprit étranger qui s'est glissé dans le corps du malade.

Nik est une Balinaise de dix-neuf ans. Depuis un mois, elle ne se nourrit presque pas, vomit ce qu'elle ingère, et se tient à peine sur ses jambes. La nuit, elle fait parfois des poussées de fièvre, se tape la tête contre les murs et divague. Ses parents appellent Pak Mangku, le *balian.* Pak Mangku s'assoit en face de Nik, reçoit un plateau d'offrandes et allume un bâton d'encens. Il ferme les yeux et se met à murmurer, très vite, dans une langue inconnue, par laquelle il communique avec les *nis,* les entités qui l'orientent vers la cause de la maladie. Il ouvre les yeux et dit à l'oreille du père de Nik : « Sa maladie est un *bebainan;* elle souffre d'un *bebai,* d'un mauvais sort. Une personne malveillante a dû enterrer quelque part une plaquette gravée au nom de Nik, quelques rognures de ses ongles, le tout entouré d'un tissu souillé. C'est ainsi que le mal est entré en elle. Il est comme une boule qui se promène dans son corps. Il faut que je l'attrape. »

Pak Mangku approche le bâton d'encens du visage de Nik. Elle détourne les yeux, essaye d'esquiver la fumée, baisse la tête et se recroqueville. Ce n'est pas elle qui a peur, mais le *bebai.* Une voix qui n'est pas la sienne sort de la bouche de Nik : « Aïe ! Il ne faut pas me faire de mal. Je ne nuirai plus à personne. » Pak Mangku : « Je ne te crois pas. Tu parles, tu fais des promesses, mais tu ne peux pas lâcher ce corps-là. »

Pak Mangku s'adresse à lui dans une langue connue d'eux seuls. Le *bebai* lui répond : « C'est la dernière fois, la dernière ! Je vais sortir tout de suite, c'est juré. »

Pak Mangku pose la main sur le nombril de Nik, qui est en proie à des tremblements, et continue de s'adresser au *bebai.* Le *bebai* : « Oui ! Au nom de Bhatari Durga, je jure de m'en aller d'ici. »

Pak Mangku : « Bien ! Que veux-tu, en échange de ta bonne volonté ? »
Le *bebai* : « Une petite poule noire, toute noire ! »

Pak Mangku prépare l'exorcisme final avec l'aide des parents de Nik. Il lui présente la poule; Nik est prise de convulsions mais parvient à lui couper le cou avec ses dents, et tombe dans un état atone. Pak Mangku lui fait boire un verre d'eau bénite. Elle vomit enfin le *bebai* : un fragment d'os humain entouré de cheveux. Les reliques seront rapportées au cimetière, qu'elles n'auraient jamais dû quitter. Nik regarde Pak Mangku pour la première fois : ce sont bien ses yeux qui le remercient.

Personne, à Bali, ne met en doute l'efficience de la *pangiwa,* consensus qui favorise la réussite de ses tours. Le Maître asservit ses disciples en leur dévoilant des recettes qui ne sont valables ni en son absence, ni après sa mort. Le rapport au Maître, par son caractère à la fois aliénant et sécurisant, contribue encore au succès populaire de la magie. En réalité, l'art des sorciers s'apparente à celui des illusionnistes, et découle plutôt d'un savoir-faire que d'une connaissance approfondie de l'ésotérisme. La magie noire est un danger pour la société : cause réelle ou imaginaire des maladies et des décès, elle est avant tout le langage de la haine et le moyen des règlements de compte. De surcroît, en s'appropriant les cadavres, elle touche l'âme des morts et risque de court-circuiter le processus par lequel l'être humain atteint son statut d'ancêtre.

La *pangiwa* est combattue sur son propre terrain par la *panengen,* la « magie de droite » ou magie rouge. Les *balian* qui s'en réclament connaissent les secrets de la *pangiwa,* et se sont peut-être même amusés à les mettre en pratique, du temps de leur jeunesse; mais ils se sont élevés ensuite au niveau de la magie rouge, grâce à l'étude de textes ésotériques, et par le fruit de leurs méditations. La magie rouge n'est plus un commerce, mais une ascèse; les connaissances qu'elle révèle ne peuvent être transmises. Cependant, sa vocation judiciaire l'oblige à nuire à son tour; la répression qu'elle met en œuvre pour anéantir la magie noire lui barre l'accès au stade suprême, la *kedharmaan,* la voie du Dharma ou magie blanche. Cette voie est la plus difficile; dans l'absolu, elle aboutit à la sainteté. La magie blanche, en vérité, n'est plus du domaine de la magie, de l'illusion. Bien qu'elle se fonde sur les doctrines ésotériques du bouddhisme et de l'hindouisme, elle se distingue de la religion Hindu Dharma en ce qu'elle abandonne la dimension sociale, intentionnelle du culte, pour se consacrer intégralement à l'union mystique avec les éléments primordiaux.

Ida Bagus, dont les pouvoirs sont célèbres dans la région de Celuk, nous livre sa manière d'appréhender l'essence de l'ésotérisme :

« La première chose à savoir, c'est que l'on trouve la même substance dans *buwana alit,* le microcosme, notre corps, et dans *buwana agung,* le macrocosme, l'univers. Pour connaître ce qui se trouve à l'intérieur de soi, il faut rester à l'écoute de ses *kenda empat,* quatre amis. Ceux-ci nous accompagnent déjà dans le ventre de notre mère : placenta, sang, liquide amniotique, cordon ombilical; ce sont eux seuls qui nous éduquent. Ils nous aident si nous les respectons, et nous détruisent si nous les méprisons. Avant de consommer une quelconque nourriture, j'en jette un peu sur le sol, en hommage à mes quatre amis. Avant toute décision, il faut obtenir leur autorisation; il est nécessaire pour cela de connaître leur nom, leur place dans le corps et dans l'espace. Deux hommes sont venus récemment me rendre visite; ils se disaient très avertis, mais voulaient progresser encore dans le domaine de la magie. Je leur ai tout de suite posé la question : dans votre corps, où est le haut, le bas, le nord, le sud... ? Ils s'en allèrent découragés », dit Ida Bagus en riant. En vérité, le premier des *kenda empat* est dans le cœur; il se nomme Anggapati, sa place est à l'est; les suivants ont également une situation et des attributs propres. Si l'on arrive à les faire sortir tous les quatre de soi, et à parler avec eux, il est possible d'acquérir des pouvoirs. En ajoutant un élément supplémentaire, ils deviennent les *panca maha bhuta,* cinq grands éléments. Négliger les *bhuta* est une grave erreur : en tant que simples éléments, ce sont des démons aveugles, mais ils sont, en fait, puissants et vivaces comme des bêtes. Quand on les chasse, ils reviennent en force. Il est plus judicieux de les apprivoiser, de s'en faire des alliés et d'utiliser ainsi leurs pouvoirs. Alors, de *bhuta* ils se transforment en *kala,* démons plus évolués, et de là, en s'élevant encore, ils nous montrent le chemin des *déwa,* des dieux.

« L'univers, comme notre propre corps, s'ordonne selon *nawa sanga,* le diagramme à neuf points : les quatre points cardinaux, leurs intermédiaires et leur centre. Cette figure n'est pas utilisable telle quelle, en une seule dimension; elle doit se compléter par deux autres points, l'un au zénith, l'autre au nadir, à l'opposé. Quand le zénith descend sur le centre, et l'ensemble sur le nadir il s'agit de magie noire; quand le zénith et le nadir rejoignent le centre, il s'agit de magie rouge; quand le nadir monte vers le centre, et l'ensemble vers le zénith il s'agit de magie blanche. La magie noire peut devenir rouge, la rouge peut devenir blanche, mais la blanche ne peut rien devenir du tout; elle se suffit à elle-même. La magie noire est facile : n'importe qui est capable de tuer; mais la magie blanche est aussi difficile que de créer la vie là où elle n'existe pas.

« Tout le monde est à même de comprendre cela, et de lire les textes sacrés; mais quand il s'agit de mettre les principes en pratique, à l'intérieur de soi, c'est long, périlleux, et personne n'est sûr d'aboutir. Pour ma part, j'ai mal à la tête rien que d'y songer », dit-il en se frappant le front, avec un sourire naïf. Pour enlever tout caractère péremptoire à ses propos, il ajoute, avec l'accent de la sincérité : « Les autres me croient très fort, mais je suis bête, inculte et paresseux. » Pour conclure, Ida Bagus prend un air rêveur : « Je n'ai que cinquante-cinq ans, c'est trop tôt pour étudier sérieusement. Pour le moment, je préfère aller à la pêche. Quand mon dernier fils sera grand, dans une dizaine d'années, peut-être partirai-je pour toujours dans la forêt. »

Quel que soit le niveau auquel les instances de l'univers interviennent dans le monde humain, elles procèdent toujours de la même manière, en pénétrant le corps des initiés.

Le *Pedanda Siwa* lui-même, sommet de la pyramide cléricale, fait entrer Siwa en lui au cours de son office. C'est par une opération semblable que les ancêtres divins descendent dans le corps des médiums pour s'adresser à la communauté. Leur message est souvent l'expression d'une volonté particulière, exigeant une modification des rites ou de l'organisation religieuse, ce qui implique une redistribution des pouvoirs au sein de la congrégation. Les *balian sontèng,* « médiums parlants », hommes, femmes ou hermaphrodites, sont alors chargés d'une responsabilité majeure qui affecte la politique interne des collectivités.

Plus archaïques que les ancêtres humains, les esprits animaux jouent leur rôle de géniteurs originels, s'exprimant par le corps de ceux qui sont aptes à les recevoir. Ces rites de possession ne sont pas spécifiques de la société balinaise, mais ils y jouent un rôle particulier : l'esprit animal aide les Balinais à retrouver l'énergie primordiale, afin de surmonter une épidémie ou de conjurer un fléau. L'initié, dans le cadre du temple, se transforme alors en divinité-serpent, singe ou cheval. Ainsi, lors de certains rites, le *pemangku* entre en transe, enfourche un simulacre de cheval, et s'élance sur un champ de braise, d'où il ressort indemne.

Les nymphes célestes descendent visiter leurs adorateurs, et prodiguent leurs bienfaits au cours de la cérémonie appelée *Sanghyang Dedari.*

Le petit village de Lantang Hidung, qui parvient à peine à supporter l'entretien de ses nombreux temples, est rassemblé dans le *pura dalem.* A genoux devant les autels, deux jeunes filles de huit ans, habillées comme des danseuses de cour, plongent leur visage dans l'épaisse fumée des encensoirs. Le chœur des femmes chante les louanges des nymphes Subraba et Tanjung Biru; elles tournoient dans le ciel, attirées par les fleurs offertes, mises en confiance par la pureté des vierges qui s'apprêtent à les incarner. Soudain, les deux jeunes filles s'arquent en arrière, en état de *nadi,* inconscientes, possédées. Elles semblent dormir; jusqu'à la fin de la cérémonie, elles garderont les yeux fermés. Le chœur les exhorte :

« Réveillez-vous, petites sœurs
Il fait déjà jour
Écoutez donc
Le son de la flûte
Qui chante au-dehors. »

Deux hommes les hissent sur leurs épaules et sortent du temple, suivis des fidèles. Elles dominent la procession, avec un sens extraordinaire de l'équilibre, et sont finalement assises sur deux chaises, au milieu de l'aire de spectacle aménagée à l'extérieur. Les villageois se regroupent autour d'elles. Seule une femme *balian,* leur initiatrice, ne les quitte jamais, leur parle avec douceur et les entretient dans leur état hypnotique. Les hommes se sont rassemblés, et commencent à chanter, en prenant la voix des batraciens : « Gung ! kèk ! gung ! kèk ! » Les voix s'entremêlent, sonnent à l'unisson ou se séparent. Les rythmes syncopés s'accélèrent, ralentissent et se fondent en un murmure. Le *kècak,* chœur des hommes possédés, épouse le langage des animaux nocturnes, et le réorganise selon les motifs rythmiques de la musique des *gong.* Chacun tient le rôle d'un instrumentiste, et reproduit le son d'un métallophone. Parfois, le chœur imite les bruits de la nature : le vent, la pluie, la cascade et son écho au fond du ravin. Les membres du *kècak* lancent d'un seul coup leur cri à l'unisson : *« Cak ! »* Les corps prolongent les vibrations qui sortent des poitrines; les bras projetés en avant agitent les mains frémissantes. Les torses en sueur s'appuient les uns sur les autres; le *kècak* est une hydre vivante, communion de la société avec la nature, prière animale qui s'élève vers les nymphes. Les deux jeunes filles se lèvent comme des somnambules et dansent dans un synchronisme parfait. Elles n'ont jamais répété ni pris un seul cours de danse : c'est la loi et le mystère du *Sanghyang Dedari.* Après avoir épuisé le répertoire, elles retournent à leur siège. La *balian* les interroge sur leurs désirs; elles se font prier, et déclarent finalement vouloir danser le *jangèr,* chorégraphie dans le style du réalisme socialiste, en vogue dans les années 60. L'assemblée est secouée d'un grand rire, mais le *kècak* obtempère tant bien que mal au caprice des nymphes. Les villageois, en échange de leur générosité envers leurs divinités, réclament des preuves tangibles de leurs pouvoirs, des *pica bhatara,* talismans des dieux. La *balian* apporte un régime de bananes aux nymphes, et les invite à les distribuer aux fidèles. Supraba et Tanjung Biru offrent un fruit à chacun, mais hésitent devant l'hôte occidental présent à la cérémonie. La *balian* leur ayant rappelé que tous les hommes se valent, elles viennent poser une banane dans le creux de sa main.

Figure de wayang kulit : *Cintya*

2

3

4

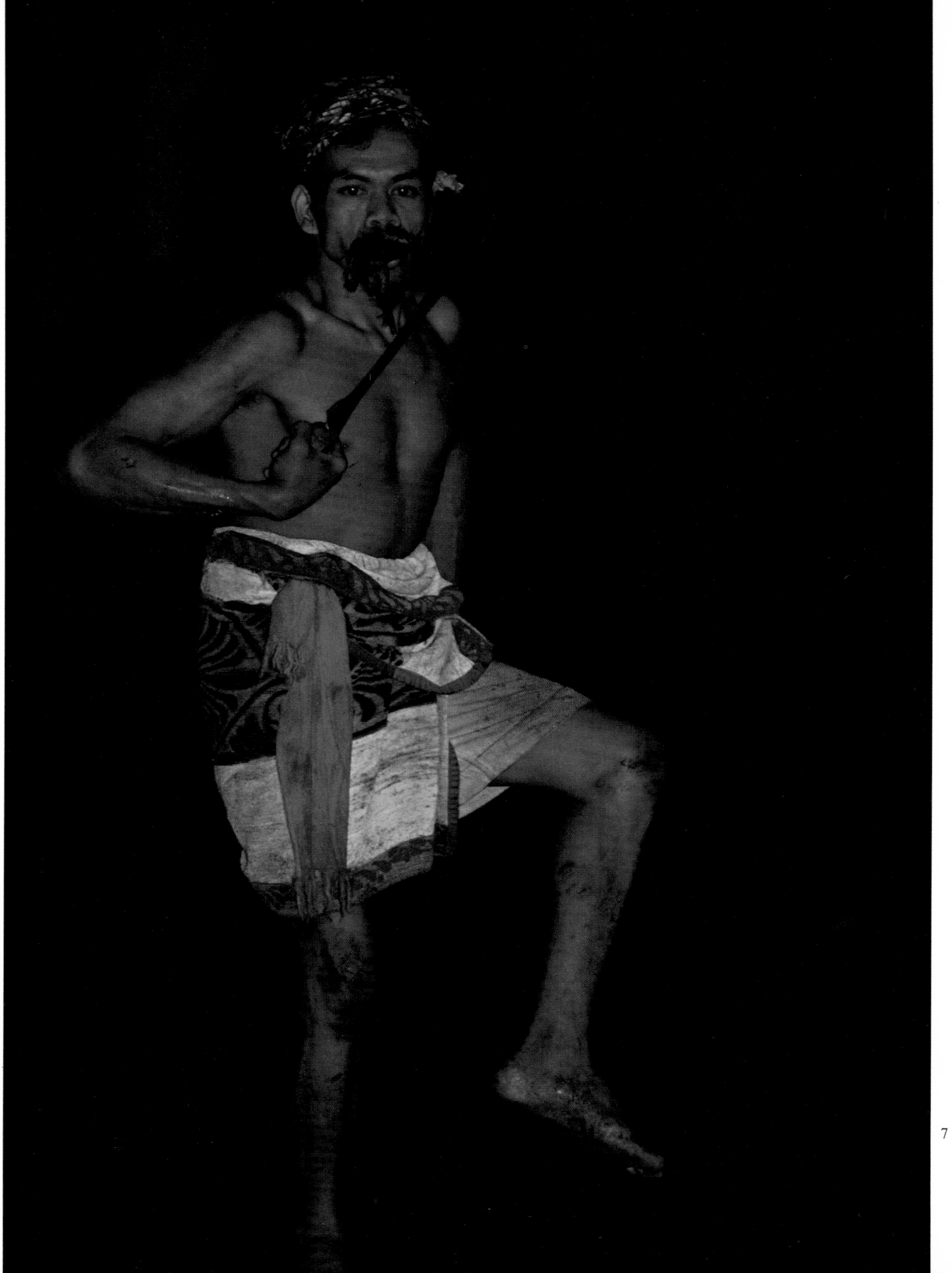

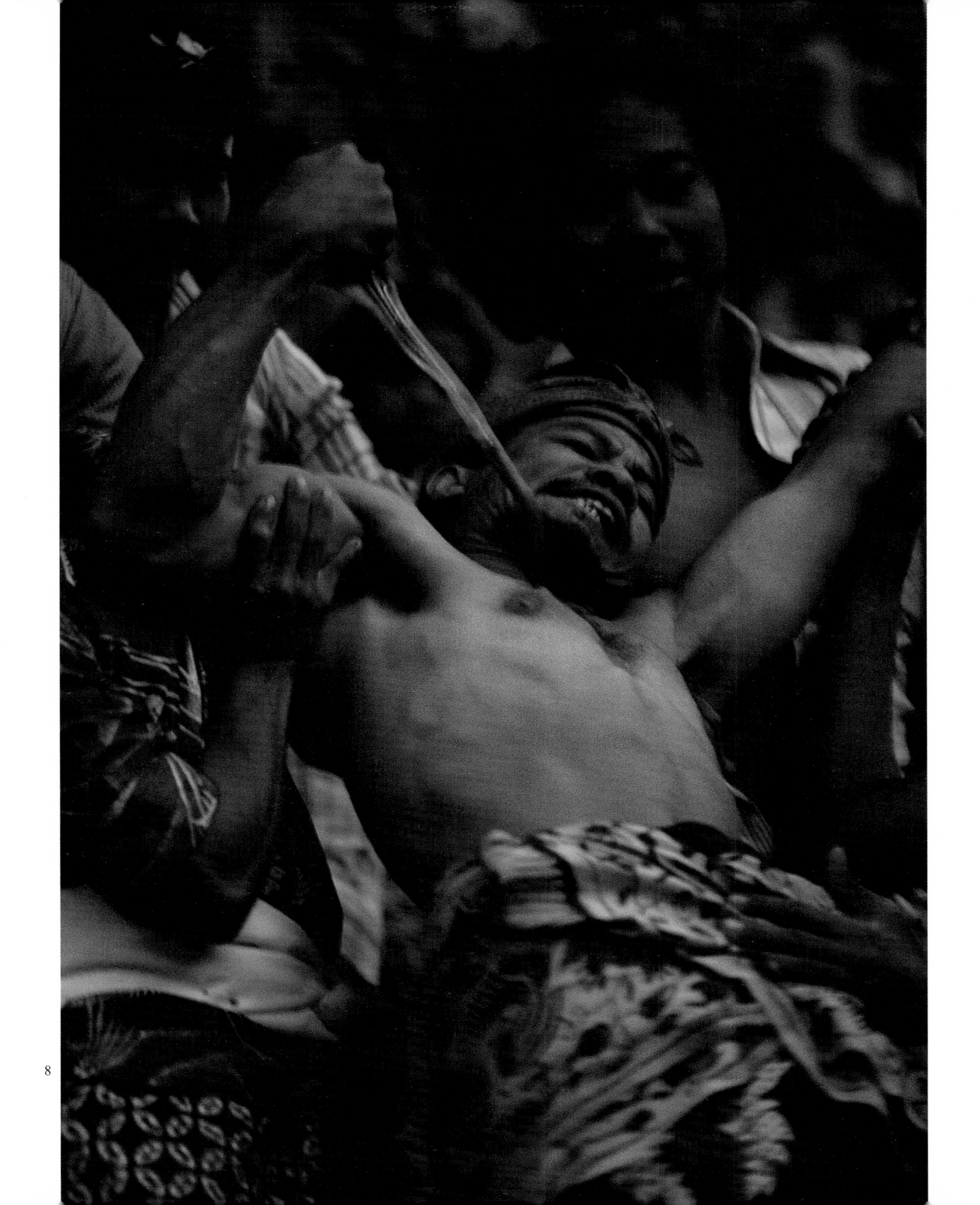

Légendes

1 Un jeune homme en transe fait *ngurèk,* se poignarde, possédé par un esprit démoniaque. Il ne parvient pas à se blesser; un esprit protecteur le rend invulnérable. Pengerébongan, Kesiman, 1978.

2 Le chœur du *kécak,* habité par les esprits animaux, accompagne les rites de *Sanghyang,* au cours desquels les divinités s'incarnent en la personne des initiés. Les chants à l'unisson, les rythmes qui se chevauchent, les mouvements d'ensemble inspirent les artistes occidentaux depuis les années 30. Tegès, 1979.

3 Le *kècak,* devenu un pur spectacle, représente généralement un épisode de l'épopée Ramayana, où l'armée des singes combat aux côtés du prince Rama. Le chorégraphe javanais Sardono, grâce à l'enthousiasme de ses amis de Tegès, a réussi à transformer le *kècak* conventionnel en un spectacle contemporain mais d'essence traditionnelle. Tegès, 1979.

4 L'initié au *Sanghyang Jaran,* possession par la divinité cheval, donne un coup de pied dans les braises avant d'enfourcher le simulacre de cheval et de s'élancer sur les charbons rougeoyants. Bona, 1978.

5 Le *Barong Kékèt,* dragon-félin, divinité protectrice du *pura dalem,* temple des enfers. Tegès, 1977.

6 Rangda, veuve sorcière, reine des *léyak* — esprits diaboliques —, grande prêtresse de la magie noire, est également la déesse Durga. Le tissu blanc suspendu à l'une de ses défenses devient entre ses mains une arme redoutable. Batubulan, 1973.

7 Au cours de la cérémonie du « combat des dieux », à Satrya, cet homme en transe exécute une danse guerrière et brandit son *keris.* Les officiants lui ont donné un poussin vivant à croquer, afin d'apaiser le démon qui l'habite. Satrya, Klungkung, 1977.

8 Ceux qui se poignardent rituellement font preuve d'une force extraordinaire : le fer du *keris* plie, mais n'entre pas dans la chair; plusieurs hommes sont nécessaires pour désarmer le possédé. Pengerebongan, Kesiman, 1978.

9 A la date propice, les femmes se réunissent dans le *pura dalem.* Aucun costume de théâtre, aucun instrument de musique ne vient embellir la cérémonie : les personnages de l'épopée Calon Arang entrent directement en elles et parlent par leur bouche. Lantang Hidung, 1978.

10 Lors du *Sanghyang Dedari,* cérémonie de possession par les nymphes célestes, trois fillettes de moins de dix ans sont plongées dans un état de *nadi,* sommeil hypnotique, qui révèle la présence des divinités en elles. Lantang Hidung, 1979.

11 Krisna, avatar du dieu Wisnu, détient le secret d'une arme appelée « Immense Corps Merveilleux » : il se transforme en *Krisnamurti,* guerrier monstrueux. Même Merdah, son serviteur, est effrayé de le voir sous cet aspect : « Oh ! Ses yeux sont des doubles soleils; ses cheveux, la pluie du ciel; ses têtes, les sommets des montagnes ! » Peinture de Madé Sukada, 1974, musée d'Ubud.

eka dasa rudra : la fête du siècle

Eka Dasa Rudra est la cérémonie hindouiste la plus importante d'Indonésie. Elle doit avoir lieu à la fin de chaque siècle, au temple de Besakih, vaste ensemble de sanctuaires groupés sur le flanc sud-ouest du volcan Gunung Agung.

Rudra, « Immense », est le nom d'une divinité de l'Inde védique qui engendre les catastrophes naturelles, les épidémies et les guerres. Ses fonctions destructrices furent assimilées, plus tard, à celles de Siwa. *Eka Dasa* veut dire « onze » : Rudra siège aux quatre points cardinaux, à leurs intermédiaires, au centre, au zénith et au nadir. La fête sacrée dure deux mois, atteignant son apogée avec *Tawur Eka Dasa Rudra*, sacrifice visant à apaiser les démons qui peuplent aussi bien le monde que son modèle réduit, le corps de l'homme. *Eka Dasa Rudra* n'avait pas été célébré depuis le XVIe siècle. Les autorités religieuses, pour réparer cette négligence, tentèrent de l'organiser en 1963, sans attendre la date favorable. Les textes sacrés prévoient une telle mesure d'exception, en cas de désastre révélateur de l'impureté rituelle de Bali. Les événements précédents furent alors jugés suffisamment graves : l'occupation japonaise, les dernières batailles contre les colons hollandais, la révolution aboutissant à la constitution de la République d'Indonésie.

En février 1963, au cours des préparatifs, le Gunung Agung entra en éruption, détruisant des milliers d'hectares de rizières. Besakih, bien que particulièrement exposé, ne subit aucun dommage important; néanmoins *Eka Dasa Rudra* fut reporté. La soif démoniaque n'était pas encore étanchée : deux ans plus tard, quarante mille Balinais furent massacrés par la République militaire, au nom de la répression du communisme. L'année 1979 correspond enfin au moment prescrit par les textes. En effet, l'ère indienne *saka*, que respectent les Balinais, est en retard de soixante-dix-huit ans sur le calendrier grégorien; 1979 marque la fin de son XIXe siècle. Le dernier jour de chaque année *saka* tombe invariablement à la nouvelle lune du neuvième mois, soit aux alentours de mars. Le dernier jour de l'année 1900 coïncide avec le 28 mars 1979, date propice au plus grand des sacrifices.

Besakih est le sanctuaire principal, le temple-mère de Bali. Sa structure en terrasses, la forme et le nom de certains autels laissent entendre qu'il était déjà à l'époque mégalithique une aire sacrificielle où les Balinais honoraient les puissances primordiales. Le culte de la montagne et celui du soleil y étaient sans doute pratiqués, avant que l'hindouisme des premiers siècles vienne les confirmer.

La tradition balinaise attribue sa fondation à Rsi Markandya, grand prêtre siwaïste, venu de Java à la fin du VIIIe siècle. Cependant, Besakih fut également un haut lieu du bouddhisme, tel qu'en atteste une inscription datée de 1007, sous le règne d'Udayana et de sa femme Mahendradatta. Ainsi, le siwaïsme, le bouddhisme et leurs différentes sectes prirent Besakih comme scène de leur affrontement, de leur coexistence ou de leur refonte. Au milieu du XIVe siècle, les *Raja* balinais, héritiers de l'empire Majapahit, en firent leur temple officiel, dans une tentative pour centraliser leur domination politique et religieuse. Après leur mort, ils y furent vénérés comme des dieux. Les dynasties suivantes continuèrent à faire jouer à Besakih un rôle unificateur. Chacun des grands prêtres, des saints ou des rois, laissa sa trace à Besakih, en fondant un autel ou même un temple supplémentaire. De nos jours, le sanctuaire apparaît comme un ensemble de temples appartenant à des régions, des clans, des congrégations particulières qui entourent un espace public, le *penataran agung*, grand sanctuaire d'État. A la différence des autres lieux sacrés de Bali, Besakih et ses vastes terrasses donnent une impression de nudité qui s'accentue au fur et à mesure que l'on s'élève vers les degrés supérieurs.

En prévision d'*Eka Dasa Rudra*, Besakih est spécialement aménagé: à quelques kilomètres en aval, une colline est rasée et transformée en parking; de nouvelles délimitations sont construites en contrebas ainsi qu'un pavillon réservé aux officiels.

En 1967, le gouvernement de Bali, représentant la république d'Indonésie, donne le contrôle de Besakih à l'office réformiste Parisada Hindu Dharma. Depuis lors, les textes publiés par cette administration religieuse à propos d'*Eka Dasa Rudra* mettent en exergue le dieu unique Sang Hyang Widhi, l'« Ordre universel », équivalent général de toutes les divinités. Certes, cette entité existe, parmi d'autres, dans le panthéon de Bali, mais les dirigeants politiques tentent d'utiliser son caractère simplificateur pour freiner le dynamisme religieux et social, en effaçant les différenciations et les particularismes. Malgré les comités officiels et les subventions gouvernementales, *Eka Dasa Rudra* est avant tout pris en charge par les villageois de Besakih, les dix *pemangku* qui habitent sur place et les congrégations régionales. Quatorze hectares de rizières appartenant au temple fournissent le matériau rituel indispensable; en outre chaque localité apporte sa contribution spécifique à la réussite d'une cérémonie qui est une nécessité et non une opération de prestige.

La fête du siècle commence le 27 février 1979, à la lune morte du huitième mois. Les officiants, après avoir apaisé les démons, demandent aux dieux la permission d'entreprendre les travaux rituels, et implorent par avance leur pardon en cas d'erreurs ou d'omissions. Tous les chefs religieux de Bali reçoivent la *tirta,* l'eau sacrée, et la rapportent dans leurs territoires respectifs. A partir de ce jour, la population balinaise s'engage à ne prendre aucun risque d'impureté durant les deux mois à venir. Inhumations et crémations sont interdites : en cas de décès, les morts doivent être immédiatement brûlés; leur incinération, sous forme d'effigie, est remise à plus tard. Le lendemain, les prêtresses font leurs dévotions à Dewi Sri, déesse du riz, l'exhortant à bien vouloir préserver de toute souillure cette denrée essentielle aux futures offrandes. Les hommes installent un *sunari,* orgue de bambous troués que le vent fait chanter. Leur harmonie délicate et profonde tient sous le charme les *gamang,* esprits des champs, et autres génies perturbateurs.

La main-d'œuvre masculine, qui est comme toujours chargée des travaux nécessitant l'utilisation du bambou, commence à construire l'immense échafaudage sacré, centre des sacrifices futurs, sur la *bancingah,* vaste place qui s'étend au pied des cinquante-deux marches du *penataran agung.*

A compter de ce jour, la *suci,* ou cuisine sacrée, devient le foyer central des activités; elle est le domaine des *Pedanda Isteri,* grandes prêtresses, et de leurs aides, spécialistes en offrandes. Avant d'y pénétrer, chacune s'asperge d'eau lustrale et ceint sa tête d'un bandeau blanc.

Le quartier général du temple y est également installé, sous un *balé* rempli de micros et d'amplificateurs; il joue son rôle de coordinateur par l'intermédiaire de haut-parleurs répartis dans tout le complexe.

Ibu Agung Isteri Mas, officiante en chef, s'affaire parmi des dizaines de femmes. Avec dextérité, elles roulent les pâtes de riz coloré, ou les aplatissent selon une centaine de formes différentes, puis les font frire dans l'huile de noix de coco. Les officiants, de leur côté, parent les temples, les *balé* et les autels, à l'aide de bannières en tissu à leurs couleurs respectives. Le 10 mars, deux vaches, dont l'une est albinos, sont amenées à la *suci.* Le lendemain, le *Pedanda Siwa* les trait lui-même : leur lait est alors baratté jusqu'à la formation de la crème divine.

Ce même jour, une délégation balinaise, dont fait partie I Gusti Ngurah Pindha, ex-gouverneur de Bali, prend place au sommet du volcan Gunung Seméru, à Java-Est. Après une nuit de méditation, elle s'approche du bord du cratère pour recueillir la *tirta,* l'eau de la source sacrée. Deux chœurs de femmes, l'un balinais et l'autre javanais, chantent les louanges d'Ida Bhatara Ring Gunung Seméru, la divinité du lieu. Ce volcan est considéré comme le père des montagnes de Bali, et la cérémonie de Besakih ne saurait se passer de la présence de son dieu. Ida Bagus Pemangku, officiant suprême, sacrifie un poulet et entre en transe, suivi d'autres initiés. La *tirta,* élevée au-dessus de la procession, prend lentement le chemin de Bali.

A Besakih, les *Pedanda Isteri* préparent la substance *madu parka,* à partir de la crème obtenue l'avant-veille. Elles la mélangent à du sucre de canne, du miel, de l'alcool de riz et de la corne de rhinocéros en poudre. La *madu parka* entre dans la composition des offrandes majeures d'*Eka Dasa Rudra.* Une des *Pedanda Isteri* découvre un serpent rose enroulé au fond d'une poêle. Elle appelle une de ses compagnes pour la prendre à témoin. Le serpent s'échappe et rampe en direction du Gunung Agung. L'huile chauffée dans l'ustensile vire au rouge. Les grands prêtres constatent le miracle, signe tangible d'Ida Bhatara Nagaraja Basuki, le divin roi dragon qui est à l'origine même de Besakih, auquel il a donné son nom. Le même jour, le riz déposé dans un panier s'élève et plane dans la *suci.* Les officiants, reconnaissant là une faveur de Dewi Sri, conservent précieusement les grains dans un linge blanc. Les organisateurs envoient alors une lettre à chaque responsable religieux de l'île, les invitant à venir chercher une part d'huile et de riz, le 23 avril, lors de la cérémonie de clôture. Le 21 mars, les femmes consacrent les quatre sortes de riz, blanc, noir, rouge et jaune, et commencent à construire les offrandes monumentales, dont chaque élément, orienté selon le diagramme cosmique, représente une plante, un animal, une arme sacrée, autant d'attributs spécifiques des divinités. L'eau sacrée de Java arrive enfin à Bali. Chacun des six temples fondamentaux de l'île prépare également son élixir. D'autres *tirta,* recueillies dans les montagnes, les lacs et l'océan, prennent le chemin de Besakih. Onze processions accompagnent les récipients de bambou, dans lesquels séjournent les divinités, et convergent vers le Gunung Agung.

A Besakih, les marches qui mènent au *penataran agung* sont recouvertes d'un long tapis blanc, et ornées de bannières. Les dieux et déesses du temple sont alors invités à prendre place dans les objets sacrés que préservent les édifices rituels. Un buffle est sacrifié à trois heures de l'après-midi. Les officiantes déposent sa dépouille au bas des marches. Ce *titi mahmah* ou « pont mouvant » est le véhicule initiatique par excellence. Les congrégations portant les onze *tirta* se rassemblent avec leurs *gamelan* devant le *titi mahmah.* Au même moment, précédés par le Pemangku Suwèca qui tient un encensoir fumant, les fidèles chargés des réceptacles des dieux de Besakih descendent l'escalier pour accueillir leurs hôtes, au son des *gong.* Ensuite, les deux groupes remontent ensemble les marches, dans la cacophonie des orchestres qui se superposent.

Des danseuses, accompagnées par les métallophones sacrés, accueillent les *tirta* qui prennent place derrière le monument principal, le *padma tiga*, triple trône de fleur de lotus. Le tube de bambou contenant l'eau sacrée du Gunung Agung domine tous les autres. Deux jours plus tard, à huit heures du matin, les sièges des dieux quittent Besakih pour aller rendre grâce aux divinités redoutables de la mer, au cours de la cérémonie *melasti.* Chaque région de Bali délègue cent personnes, et les quatre clans dominants, deux cents. En fin d'après-midi, les fidèles atteignent la plage de Klotok, non loin de Klungkung. Le grand prêtre invoque Baruna, dieu de la mer, alors qu'un buffle est sacrifié par noyade. Au même moment, d'autres victimes sont immolées dans les neuf lieux rituels de l'île, associés aux points du diagramme *nawa sangga.*

Quand les dieux rentrent à Besakih, le surlendemain, des milliers de Balinais préparent déjà le grand sacrifice. Des animaux de toutes sortes sont convoyés vers le sanctuaire. Éléphant, tigre et reptiles géants ont été importés non sans mal à Bali. Certains groupes portent sur un palanquin un grand félin en cage, d'autres une petite boîte pleine d'insectes ou une simple planche habitée par des vers. Les analogies entre démons et animaux se définissent par leurs caractéristiques communes : formes, couleurs, lieux de résidence, manières de se comporter...

Au cours de la cérémonie *mapepada,* les animaux font trois fois le tour du mur d'enceinte du *penataran agung* dans le sens divin, de gauche à droite. Les futures victimes sont parées de rubans aux couleurs de la divinité qu'elles représentent. Les prêtres demandent aux dieux de leur assurer une réincarnation qui les élève dans la hiérarchie des êtres vivants.

Ibu Putra Mas, dans la *suci* transformée en véritable « arche de Noé », multiplie les appels. Elle prend malgré tout le temps d'expliquer le but des cérémonies : « *Eka Dasa Rudra* doit purifier les *panca maha bhuta,* les cinq grands éléments, en allant directement à la racine de la création. Les sacrifices peuvent attirer la bienveillance de ces éléments et les stabiliser, les fixer chacun à leur place. La vie ici-bas emprunte les forces créatrices, elle ne les possède pas. La réussite d'*Eka Dasa Rudra* voudra dire que, pour le siècle à venir, l'être humain se sera déjà acquitté de l'intérêt correspondant à l'emprunt de ces éléments. »

Le lendemain, vendredi 28 mars 1979, nouvelle lune du neuvième mois, est le dernier jour du XIXe siècle *saka*. Le complexe de Besakih contient avec peine les quelque deux cent mille fidèles qui s'y pressent pour participer au *tawur,* grand sacrifice. Les haut-parleurs n'émettent plus qu'un grésillement forcené. La route est bloquée par les embouteillages à vingt kilomètres en aval. Les miliciens dégagent les encombrements, afin de faire accéder les officiels au pavillon qui surplombe la *bancingah.* Avant midi, tous les animaux sont sacrifiés simultanément : l'éléphant à l'est, pour Iswara; l'oie au sud, pour Brahma; le serpent à l'ouest, pour Mahadéwa; l'aigle au nord, pour Wisnu; la vache au centre, pour Siwa... Au sud-est, le lion et le crocodile offrent quelque résistance. La foule se presse et hurle, comme au cours d'un combat de coqs. Elle se tourne ensuite vers l'échafaudage sacré aux nombreuses plates-formes, sous lesquelles vingt-deux grands prêtres ont pris place. Le général Suharto, président de la République d'Indonésie, vient enfin siéger sous le pavillon des notables, aux côtés d'Ida Bagus Mantra, gouverneur de Bali. Le président pensait arriver en hélicoptère, mais l'autorisation lui fut diplomatiquement refusée par les autorités religieuses : personne ne peut s'interposer entre Besakih et le ciel, au cours d'une telle cérémonie.

Les prêtres commencent leur rituel; un silence inhabituel tombe sur les flancs du Gunung Agung; tous les fidèles s'assoient.

Les *Pedanda Siwa*, au sommet, et les *Pedanda Buddha*, un peu plus bas, font sonner leur cloche. Presque à ras de terre, les *Sengghu,* prêtres *sudra,* s'entretiennent avec les entités infra-terrestres, soufflant dans leur conque pour les faire remonter des abysses. Les haut-parleurs invitent à la prière; 200 000 personnes élèvent en même temps une fleur au-dessus de leur tête.

Le *gong gedé,* grand *gamelan* royal de Batur, ancien fief des montagnes, commence à scander les rythmes puissants du *bebarisan;* les danseurs de *baris* se lèvent, se mettent en ligne et brandissent leur lance, dans un geste figé de défi. A la fin du *tawur,* certains fidèles prennent d'assaut les onze autels et pillent les offrandes : *Eka Dasa Rudra* n'est pas seulement destiné aux démons de l'univers, mais aussi à ceux que chacun porte en soi.

Le lendemain est *nyepi,* journée de calme obligatoire. Dans l'île, les Balinais n'arrêtent pas de se questionner : « Êtes-vous déjà allé à Besakih ? » Ce à quoi plus d'un million d'entre eux peuvent répondre par l'affirmative. A la pleine lune, le 12 avril, la cérémonie dite « les dieux descendent tous ensemble » a lieu, comme chaque année à Besakih, devant le *padma tiga,* triple autel de pierre dédié à Siwa, Sadasiwa et Peramasiwa.

Le 23 avril, l'huile et le riz du miracle sont offerts à tous les chefs religieux qui répondent à l'appel des haut-parleurs, et des offrandes sont faites aux grands prêtres. Le moment est enfin venu de se délivrer du travail rituel, par la cérémonie *megat sot,* « briser le lien de la promesse ». Les dieux sont reconduits respectueusement vers leurs demeures célestes; les *pemangku,* suivis des derniers fidèles, refluent vers la sortie du Penataran Agung, que barre le *balé pegat,* symbolisant la rupture entre le monde intérieur et le monde extérieur. Chacun lance alors les offrandes en l'air, au milieu des rires, impertinence qui marque la fin des cérémonies. Ce geste gratuit constitue en vérité la phase ultime d'*Eka Dasa Rudra,* rituel qui, plus que tout autre, dévoile la générosité de Bali.

3

4

Légendes

1 Mille personnes ont été désignées pour accomplir la cérémonie *melasti,* purification des objets sacrés à la mer. La procession, augmentée de nombreux fidèles, a parcouru 30 km à pied, de Besakih à la plage de Klotok. Les animaux du sacrifice sont immergés dans l'océan, au cours du rituel *pekelem,* ou « noyade ». L'eau de mer, devenue elixir divin, sera rapportée au sanctuaire lors de la procession de retour. Plage de Klotok, 24 mars 1979.

2 Les dizaines de milliers de fidèles de religion Hindu Dharma, venus parfois d'îles indonésiennes lointaines, participent au *Tawur Eka Dasa Rudra.* Après les rites destinés à satisfaire toutes les manifestations démoniaques des dieux dans l'univers, la foule attend le moment de la prière collective. Pura Besakih, 28 mars 1979.

3 Détail de la base d'un *padmasana,* siège en forme de fleur de lotus, spécialement construit pour les cérémonies *Eka Dasa Rudra.* La tortue du monde infra-terrestre, entourée des deux serpents, supporte les étages du cosmos. Le monument éphémère a été réalisé essentiellement en bambou, tissus, papiers peints, galettes de riz coloré et tronçons de canne à sucre. *Pura penataran agung,* Besakih, mars 1979.

4 Un édifice en bambou rituellement décoré a été construit sur plus de 1 000 m^2, dans la cour qui s'étend devant le *penataran agung.* Onze groupes de structures se juxtaposent; ils correspondent aux différents Rudra, divinités terribles situées aux onze points stratégiques de l'univers. Chaque *sanggar tawang,* autel paré d'une couleur particulière, se divise en trois parties : un pavillon et un support destinés aux offrandes, ainsi qu'une plate-forme où s'assoit le grand prêtre pour officier. *Bancingah,* Pura Besakih, mars 1979.

5 Au cours de la cérémonie *mapepada,* les officiants purifient les animaux qui vont être sacrifiés. Les processions et leurs victimes font trois fois le tour du sanctuaire, dans le sens des aiguilles d'une montre. Les prêtres demandent alors aux dieux l'autorisation d'accomplir le sacrifice. Pura Besakih, 27 mars 1979.

6 L'aigle blanc, que les Balinais nomment *Garuda,* comme la monture du dieu Wisnu, prend le chemin du sacrifice. L'offrande de sa vie a d'autant plus de valeur que la République d'Indonésie a adopté *Garuda* comme emblème national. Les Balinais, plus que tous autres, estiment ce guerrier volant, dont les ailes symbolisent l'élévation de l'esprit. Pura Besakih, 27 mars 1979.

7 Offrande du genre *tapel gebogan,* réalisée essentiellement en galettes de riz coloré, entourant un masque de bois peint. La divinité représentée ici est sans doute Déwi Sri, déesse du riz, parée de ses attributs royaux. La coiffe rayonnante, en forme de demi-cercle, évoque le culte pré-hindouiste du riz et du soleil. Pura Besakih, mars 1979.

Glossaire

adat : ensemble des lois coutumières; division de l'espace selon les règles ancestrales que garantit le principe sacré du *Dharma*. De nos jours, les lois de l'*adat* sont doublées par celles de l'administration gouvernementale.

agama : Hindu Dharma : religion officielle, synthèse des croyances aborigènes et des éléments apportés par l'hindouisme, le bouddhisme et leur version javanaise. Les autres dénominations de la religion balinaise sont : *agama* Hindu Bali et *agama tirta*.

alus, doux : qualité d'une matière, d'un travail, d'une gestuelle ou d'un langage. Le style *alus* caractérise l'art de cour. Opposé : *kasar*, rude.

arja : spectacle lyrique où interviennent la danse et la comédie. Les livrets romanesques sont tirés de l'épopée Malat ou du recueil de contes Tantri.

badé : tour de crémation, représentant les étages du cosmos. Elle est réservée aux rites funèbres de la caste *kasatria*.

balé : pavillons sous lesquels se déroulent la plupart des activités publiques ou privées.

balian : médecin traditionnel; sorcier jeteur de sort ou protecteur; médium ou exorciste. Il est indispensable aux rites magico-religieux *Sanghyang*. En *bahasa indonésia* : *dukun*.

banjar : hameau, assemblée des membres d'un même quartier. Les associés se réunissent pour mener à bien collectivement les tâches civiles et religieuses.

banten : offrandes, dons rituels aux divinités. Les femmes spécialisées dans leur confection sont appelées *tukang banten*.

baris, en ligne : danse martiale masculine. Le *baris gedé*, grand *baris*, comme d'autres espèces de *baris* collectifs, est exécuté dans certains temples. Actuellement, le *baris* est souvent interprété en solo, sous la forme virtuose du *baris lempahan*.

barong : manifestation monstrueuse d'une divinité redoutable, mais au pouvoir protecteur. Les marionnettes géantes des *barong* sont abritées dans les *pura dalem*. Les *barong landung* représentent les anciens chefs, propriétaires du territoire. Les *barong* sont aussi à l'image de dragons à tête de tigre, de cheval, de sanglier, ou, plus souvent, de félin *Kékèt*.

bhuta, aveugles : esprits bestiaux et infraterrestres. Parfois associés aux *kala*, démons du temps destructeur, les *bhuta* constituent cependant les forces vitales de l'homme et de l'univers : les *panca maha bhuta*, cinq grands éléments.

Brahama, Wisnu et Iswara : créateur, conservateur et destructeur, dieux de la trinité indienne *trimurti*. Siwa, dont Iswara est l'une des manifestations, joue, dans cette triade, le rôle d'unité intégrante.

Buddha : principe divin, introduit à Bali dès le VIIIe siècle. Plutôt que le détachement prescrit par le *Dharma*, voie royale du bouddhisme, la société balinaise perpétue les cultes tantriques — rites magiques dédiés aux divinités terribles du monde infernal.

Calon Arang : reine maléfique qui a donné son nom au drame épique où s'affrontent les pouvoirs magiques. Elle se transforme en Rangda, veuve sorcière, pour s'opposer au Barong, génie tutélaire.

condong, servante : accompagnatrice et interprète des princesses. Récitante dans l'*arja*, elle tient un rôle à part entière dans la chorégraphie du *lègong*.

dalang : manipulateur et récitant du *wayang kulit*. Sa fonction consiste à faire revivre les ancêtres divins en leur figure de cuir découpé; il doit se conformer au *dharma pewayangan*, ensemble des règles sacrées de l'art du *wayang*.

dèsa, village : unité communale, à la fois administrative et religieuse; congrégation supportant les trois temples du village. Ses membres dominants sont les *kerama dèsa*, descendants des fondateurs de la congrégation.

gambuh : théâtre dansé et chanté; version balinaise de l'art de cour à l'honneur à Java-Est avant le XIVe siècle. Les livrets sont tirés de l'épopée Malat.

gamelan : terme général pour désigner les ensembles instrumentaux. De nombreuses espèces de *gamelan* sont utilisées selon leur destination rituelle, leur répertoire ou les traditions de leur région d'origine.

gong : nom qui évoque le son du métallophone le plus grave, grand idiophone de bronze de forme circulaire, bombé en son centre. Par extension, le nom de l'instrument recouvre diverses sortes d'orchestres à percussion, notamment le *gong gedé*, grand ensemble de cour, ainsi que ses dérivés.

kaja, kelod : vers le volcan Gunung Agung, vers la mer : les deux pôles qui, avec le levant et le couchant, orientent aussi bien l'architecture que la vie rituelle quotidienne.

kawi : langue poétique, psalmodiée selon la métrique indienne; vieux javanais émaillé de mots sanskrits.

kenda empat : les quatre amis, sources de la connaissance; ils accompagnent l'être humain dès son apparition dans le monde : placenta, sang, liquide amniotique et cordon ombilical.

kulkul : onomatopée rappelant le son du tronc d'arbre évidé que l'on percute. Suivant le rythme des coups, différentes informations sont diffusées. Les *kulkul* sont suspendus au sommet d'une tour qui surplombe le mur d'enceinte de chaque temple.

lègong keraton : danse féminine typique de la chorégraphie de cour. Trois fillettes éduquées dans l'entourage du palais incarnent les personnages de l'épopée Malat.

léyak : esprit diabolique; apparence trompeuse que prend un sorcier pour exercer ses maléfices.

Mahabharata : « la grande histoire des descendants de Bharata », l'épopée la plus longue de l'Inde; elle atteint sa forme définitive vers le IVe siècle après J.-C. Java et Bali ont adapté une partie de ce texte, dont les personnages sont devenus de véritables héros populaires. Les cinq frères Pandawa s'opposent à leurs nombreux cousins Kurawa, aux ambitions illégitimes.

Majapahit : dernier des empires hindouistes d'Indonésie, dont l'âge d'or se situe à Java, au début du XIVe siècle. Après sa chute, un siècle plus tard, les dynasties du sud-est de Bali continuent seules à perpétuer sa culture.

Malat : version balinaise de l'épopée du roi Panji, conquérant à la guerre comme en amour, héros des États hindouistes de Java-Est. La saga de Panji sert de thème à l'*arja*, au *gambuh* et au *lègong*.

manusa, l'être humain : les rites accompagnant la carrière de l'homme; ils se différencient de quatre autres genres de cérémonies, dédiées aux âmes des morts, aux dieux, aux prêtres et aux démons.

nawa sanga : diagramme cosmique à neuf points : les quatre points cardinaux, leur centre et leurs intermédiaires. *Nawa sanga* est également un principe classificateur : à chacune des neuf places correspondent une divinité, une couleur, et de nombreux autres attributs.

ngabèn : cérémonie d'incinération; elle tient une place majeure dans la série des rites funèbres visant à élever l'âme des défunts. Quand elle concerne la noblesse, cette cérémonie s'appelle *palebon.*

ngusaba : fêtes liées à la fécondité, dans le temple de la *subak.*

nista, bas : niveau inférieur de l'échelle des rites. Les deux autres degrés sont : *madia,* moyen, et *utama,* haut.

odalan (forme verbale : *ngodalin*) : anniversaire de la fondation d'un sanctuaire; il se répète chaque deux cent dix jours, après une révolution complète de l'année *wuku.*

Pandé : titre du clan des forgerons. Ils se subdivisent en armuriers, orfèvres, facteurs de gong. D'autres lignées représentent également l'aristocratie rurale : les *Pasek, Kebayan* et *Bandèsa,* mais leurs attributions professionnelles ne sont pas aussi spécifiques.

pedanda : grand prêtre de caste *brahmana;* il est souvent ordonné en même temps que sa femme, qui devient *Pedanda Isteri.* Les *brahmana* se divisent en deux lignées, d'où sont issus les *Pedanda Siwa* et les *Pedanda Buddha.*

pekan, marché : les *pekan* suivent un circuit ancestral, qui passe par les trois villages les mieux situés dans chaque région. Chacun peut ainsi, tous les trois jours, participer au marché le plus proche.

pemangku : prêtre-officiant; les nombreux *pemangku* se chargent de la plupart des travaux rituels. Ils font en général partie de la caste des fondateurs des temples dans lesquels ils officient.

penasar : récitant-bouffon, serviteur et interprète des héros du théâtre traditionnel.

pura, temple : un édifice sacré est appelé *pura* quand il atteint une certaine importance architecturale. Les trois temples de chaque *dèsa* sont, en principe : le *pura pusah* , temple ombilic, le *pura dèsa,* temple de la communauté, le *pura dalem*, temple profond ou infernal. D'autres catégories de *pura* rassemblent des congrégations plus vastes : les *pura dadia*, sanctuaires de clan; les *pura penataran*, sanctuaires d'État.

puri, palais : autour des principaux *puri* des huit royaumes se sont formées les agglomérations les plus importantes.

Ramayana : grand texte épique de l'Inde; Bali, à la suite de Java en a donné une interprétation : le prince Rama, avec l'aide de son frère Laksamana et de l'armée des singes dirigée par Hanuman, entreprend une guerre contre Rawana, roi d'Alangka, qui lui a ravi sa femme, Sita. Le Ramayana est l'un des sujets privilégiés des arts plastiques, de la danse et du théâtre.

saka : année luni-solaire composée de douze mois, et dont le cycle se renouvelle en mars, à *nyepi*, jour de repos, abandonné aux démons. L'ère *saka*, dite « du roi », commence en l'an 78 après J.-C.

sanggah : aire réservée aux divinités tutélaires de la famille. Le temple domestique des maisons nobles se nomme *pamerajan.*

Sang Hyang : titre général des divinités — de même que Bhatara, Bhatari, ou Déwa, Déwi, quand leurs aspects masculin et féminin sont différenciés. Par extension, le terme de *Sanghyang* désigne les rites magico-religieux par lesquels les divinités s'incarnent dans les initiés : *Sangyang Dedari* , possession par les nymphes célestes; *Sanghyang Jaran,* possession par la divinité cheval. D'autres *Sanghyang* invoquent l'esprit du singe ou celui du serpent.

sawah : rizière irriguée, selon une technique connue à Bali depuis dix siècles, et qui s'applique actuellement à des centaines de milliers d'hectares. En complément, les zones élevées ou exposées au nord sont cultivées sur brûlis et en *ladang*, jachères sèches.

seka : association volontaire, à but religieux, culturel ou économique. Outre les différents groupements d'entraide, les *seka* rassemblent leurs membres suivant leurs affinités ou leurs intérêts : clubs de jeunes gens, de jeunes filles, de lecture, de musique (*seka gong*) ou de travaux agricoles.

Sengghu : prêtre de caste *sudra*, spécialisé dans le dialogue avec les divinités infraterrestres. Son titre évoque la conque marine dans laquelle souffle son assistant; son rituel semble une survivance d'un culte wisnuiste, Wisnu étant, à Bali, associé à l'eau et au monde inférieur.

Siwa : dieu dominant du panthéon balinais. Confondu avec les divinités du soleil et de la montagne, Siwa, sous ses formes masculines et féminines, revêt de très nombreuses manifestations célestes, terrestres ou infraterrestres.

subak : comité des riziculteurs concernés par un même réseau d'irrigation. Les *subak* sont également des associations religieuses; elles entretiennent des temples dédiés aux divinités qui interfèrent dans le cours de l'agriculture.

suci, pureté rituelle : en tant qu'adjectif, *suci* qualifie un lieu ou une personne sacrée, non souillée. *Suci* est aussi le nom de la cuisine rituelle aménagée dans chaque temple.

tajèn, combat de coqs : le terme vient de *taji*, ergot d'acier qui prolonge celui des coqs. Le *tajèn* est à la fois un jeu, une occasion de confrontation sociale et un sacrifice rituel.

tawur : cérémonie majeure du genre *caru*, sacrifice aux démons. A la différence des offrandes aux dieux, exposées en hauteur, les *caru* se concrétisent par des dépouilles d'animaux étendues à même le sol.

tirta : eau bénite ou eau lustrale. L'eau consacrée est un élément primordial de toute liturgie balinaise. Les grands prêtres sont seuls habilités à lui conférer un caractère sacré en faisant entrer en elle la divinité.

topèng, littéralement : pressé (sur le visage); terme qui signifie le masque. Par extension, spectacle de théâtre masqué. Le *topèng* met en scène les souverains de Bali et leurs ministres; les canevas sont empruntés aux *babad,* chroniques des royaumes.

waringin : ficus géant, arbre que les Indiens appellent *banyan.* Les *waringin* font, à Bali comme en Inde, l'objet d'un culte. L'arbre sacré s'élève parfois dans l'enceinte même du sanctuaire.

warna, couleur : ce terme sanskrit définit un système de différences fonctionnelles. Il désigne les castes, *catur warna,* quatre couleurs : *brahmana,* prêtres; *kasatria,* souverains et militaires; *wésia*, propriétaires; *sudra,* agriculteurs. De même, *warna* signifie les « couleurs » de la langue, niveaux auxquels chaque interlocuteur se conforme en fonction de son statut.

wayang kulit, représentation des divinités de cuir : théâtre d'ombres. A Bali aussi bien qu'en Inde ou en Chine, le théâtre par excellence est celui qui fait revivre les ancêtres grâce à leur ombre, figure de cuir ajouré qui évolue sur un écran. Le *wayang kulit* balinais s'inspire essentiellement du Mahabharata et du Ramayana.

wuku : année javano-balinaise de deux cent dix jours, composée de cycles qui se répètent simultanément. Le calendrier *wuku* détermine les dates plus ou moins favorables aux entreprises humaines et règle l'alternance des apparitions divines ou démoniaques dans le monde d'ici-bas.

Maquette Christine Dodos et Denis Vicherat

Achevé d'imprimer le 9 mars 1984.
Impression Couleurs Weber S.A., Bienne, Suisse.
Photogravure Actual, Bienne, Suisse.
Photocomposition Bussière Arts Graphiques, Paris.

Dépôt légal : 34 0505 7 - avril 1984

La plupart de ces photographies ont été réalisées
avec des appareils Leica M et Leica R
équipés d'objectifs Leitz de 21 à 180 mm.